W9-BYG-183

中国连环画优秀作品读本

中国成语故事

上海人民美術出版社

写在前面

上海，中国连环画的发祥地。近60年来，上海人民美术出版社出版了难以计数的优秀作品，地位举足轻重。为传承弘扬中华文化，倡导当代人的传统阅读回归，本社特意推出《中国连环画优秀作品读本》系列丛书，以飨读者。

《中国连环画优秀作品读本》所选，既有古典文学名著，也有现代题材，旨在经典性、故事性、可读性，以求最完美地展现连环画这块瑰宝的独特魅力。同时，通过新的书体形式，以适应当今读者的赏读习惯。

《中国成语故事》为《中国连环画优秀作品读本》丛书之一，主要篇目有：

安步当车

编文 金文明

绘画 高 适

出处 《战国策·齐策四》："斶（chù 触）愿得归，晚食以当肉，安步以当车。"

释义 原意是说：把安闲自在的步行当做坐车，反映了齐国高士颜斶不贪富贵的高尚情操。后来一般指用缓慢的步行代替乘车。

（1） 颜斶是战国时代齐国的一位高士。他不慕荣华、不畏权势，长期隐居在临淄（淄zī 资；齐国都城）城外的乡村里，过着清静恬淡的生活。

（2） 齐宣王听到了颜斶的名声，就派人前去把他召进宫来。

（3） 颜斶走上殿阶，看到宣王正端坐殿上，等待他去拜见，就停住脚步不再前进。宣王感到奇怪，说：“颜斶，你上前来！”谁知颜斶一步不动，也对着他说：“大王，你上前来！”宣王听了很不高兴。

（4） 左右的侍臣看到颜斶这样目无君主，就责问他说：“大王是君，你是臣。你不去拜见大王，反而叫大王屈尊上前，有这样的道理吗？”

（5）颜斶微微地笑了一笑，说：“我上前是表示趋炎附势，大王上前是表示礼贤下士。衡量一下利弊得失，我认为应当请大王上前。”

（6）宣王气得变了脸色，说：“颜斶，我问你：是国君高贵，还是士高贵？”颜斶答道：“当然是士高贵，国君有什么高贵的！”宣王说：“你这话有什么根据？”

（7） 颜斶说：“有。大王听说过鲁国的高士柳下季吗？朝廷不用他。他毫无怨言；生活贫困到了极点，他也不发愁。但他从来不做违背自己意愿的事情。他的名声，连远在西方的秦国都知道了。

（8） “后来，秦国出兵攻打齐国，途经鲁国时，秦王下令：敢在柳下季墓五十步以内打柴的，杀无赦；能砍下齐王头颅的，可封万户侯。这不证明国君的头还不如高士的墓高贵吗？”

（9） 宣王听了，一时竟答不上话来。侍臣们马上接嘴说：“大王富贵盖世，权倾天下，连四方诸侯都要来臣服听命。士算得了什么？不过是个平民百姓！出门连车都没有，怎么能跟大王相比！”

（10） 颜斶说：“古代的诸侯号称万国，现在只剩了二十四个。那些自恃高贵、侮慢贤人的君主，最后都落得国亡身灭，想做个平民百姓也不可得。只有礼贤下士的尧、舜、禹、汤，才建立了赫赫的功业，至今被称为明主。”

（11） 宣王听罢，慌忙离座向颜斶躬身施礼，说：“君子是不能轻易侮辱的。先生的话，使我深受教益。请您收我做个弟子吧。”接着吩咐左右：“今后颜先生与寡人同游，吃饭一定要有牛、羊、猪肉，出门一定要备车。”

（12） 颜斶辞谢说：“我僻居乡野，一向把适口的菜蔬当做肉食，把安闲的步行当做坐车（‘安步以当车’），过不惯富贵荣华的生活。我的话已经讲完了，请让我走吧。”说罢拱手一揖，告辞而去。

暗度陈仓

编文 金文明
绘画 瞿谷寒

出处　《史记·高祖本纪》："汉王之国……去辄烧绝栈道，以备诸侯盗兵袭之，亦示项羽无东意……八月，汉王用韩信之计，从故道还，袭雍王章邯。邯迎击汉陈仓，雍兵败，还走；止战好畤，又复败，走废丘。汉王遂定雍地。"

释义　陈仓：古县名，在今陕西宝鸡东，古代为汉中、关中之间来往的必经之地。"暗度陈仓"，原是古代军事史上一个有名的战例，后用以指作战时从正面迷惑敌人，暗中潜入敌人侧后进行突然袭击的策略。旧时也借喻其他暗中进行的活动。

（1） 公元前206年，各路反秦起义军进入秦都咸阳（今陕西咸阳市东北），腐朽残暴的秦王朝被推翻了。

（2） 当时起义军中最著名的领袖是刘邦和项羽。刘邦首先攻下咸阳，废除秦的暴政，采取一系列安定民心的措施，受到关中老百姓的热烈拥护；项羽入关较迟，但秦军主力是被他消灭的，他自以为功劳最大，非常妒忌刘邦。

（3） 项羽凭借实力，自立为西楚霸王，定都于彭城（今江苏徐州）。他发号施令，把刘邦封在汉中和巴、蜀一带做汉王；又将咸阳周围的秦国故地分封给三个降将章邯、司马欣和董翳，以扼制刘邦向北发展。

（4） 汉中和巴、蜀地处西南边沿，关山重叠，交通阻塞，经济和文化都很落后。刘邦知道项羽要把自己困死在那里，心里非常气愤，就想率领部队去和项羽拼个死活。

（5） 谋臣萧何和张良，见刘邦在盛怒之下忘记了处境的危险，就竭力劝阻。萧何说：“项羽的军队有四十万，而我们只有十万人，现在去拼，不是拿着鸡蛋跟石头碰吗？”

（6） 刘邦说：“现在不拼，把将士们带到汉中，以后项羽怎么会让我北出？还不同样是死路一条！”张良说：“不，得天下者在于民心，三秦的老百姓是拥护大王的。只要大王任用贤才，发愤图强，将来一定能够重回关中！”

（7） 刘邦听罢，沉吟了一下，觉得一时也别无其他办法，只好同意。四月间，他下令全军将士拔营向汉中进发。

（8） 当时，通往汉中的道路只有一条，沿途山高谷深，坡陡林密，不少地方用木板筑成栈道，只能一人一马依次通过。张良劝刘邦待人马过后就把栈道烧毁，表示自己不想再回关中，以消除项羽的猜疑。

（9） 刘邦走后，项羽立即派探马前去跟踪打听。几天以后，探马回报：刘邦已经烧绝栈道，进入汉中。项羽听罢，感到自己再也没有后顾之忧，就放心地率领大军回彭城去做他的西楚霸王了。

（10） 刘邦到达汉中后，接受萧何的建议，任命善于用兵的韩信为大将，加紧筹集粮草，训练士卒，作好出兵关中的准备。

（11） 离汉中最近的，是被项羽封在废丘（今陕西兴平县南）做雍王的章邯，他经常派人监视刘邦的动静。一天，章邯得到消息：新近被刘邦任命为大将的韩信，派了几百人在修理栈道，可能要出兵北上，进犯关中。

（12） 章邯一面派人再去打听，一面对部下说："韩信是个无名小卒，有什么能耐？要修复栈道，至少得三年五载，到时候，我只要把北口一堵，哪怕千军万马也休想出来！"根本不把此事放在心上。

（13） 谁知到了八月间，章邯突然得到探马急报，说韩信率领十多万汉兵已经来到关中。章邯大吃一惊，忙问：“他们在哪里？栈道什么时候修好的？”探马说：“汉兵没有走栈道，他们是从西边的故道绕行北上，已经到达陈仓了。”

（14） 原来韩信“明修栈道”，完全是为了迷惑章邯。他知道汉中西北有一条小路，可以经故道直达陈仓（今陕西宝鸡东），就决定由此北上。于是，十多万汉兵昼伏夜行，穿林渡谷，经过长途跋涉，终于突然在陈仓出现。

（15） 章邯连忙调兵遣将，赶往陈仓堵截。但是，韩信已经占领了有利的地势，加上汉兵士气旺盛，才一交锋，就把章邯的军队打得落花流水。

（16） 韩信乘胜东进，关中人民纷纷响应。项羽安置在三秦的雍王章邯、塞王司马欣和翟王董翳先后被迫投降。刘邦进入咸阳后，在萧何的协助下，着手把关中建成巩固的根据地，为以后战胜项羽、统一中国，奠定了基础。

百步穿杨

编文　金文明
绘画　赵仁年

出处　《史记·周本记》："楚有养由基者，善射者也，去柳叶百步而射之，百发而百中之。"又《汉书·枚乘传》"柳叶"作"杨叶"。

释义　能在百步以外用箭射穿选定的杨树叶子，形容箭术极其高明。

（1） 养由基，又叫养叔，是春秋时代楚人。他年轻时就勇力过人，射得一手好箭。

（2） 有一天，邻里的青年们都聚集在一块空场上练习射箭，周围拥着许多人观看。

（3） 靶子设在五十步以外的地方。一位射手拉开弓连射三箭，箭箭正中红心，博得了一片喝彩声。

（4） 养由基看到人们赞扬那位射手，就站出来说：“射中五十步以外的靶子，没有什么稀奇，咱们来个‘百步穿杨’吧！”

（5） 养由基叫人在一百步以外的杨树上选定一片叶子，涂上红色做记号，然后对射手们说：“射吧，能够射穿那片杨叶，才是真正的好汉！”

（6） 刚才那位射手不甘示弱，举起弓瞄准杨叶射了一箭。箭落了空，连叶边也没有擦着。人们失望地喊了一声。那射手又连着射了两箭，一箭都没有中，他红着脸退到一旁。没有人再敢站出来试射。

（7） 养由基向人群环视了一下，从容不迫地走上一步，抽出箭，搭上弦。只听噔的一声，那支箭疾似流星般地直飞而去，把杨叶射了个对穿。人群顿时爆发出一片热烈的叫好声。

（8） 刚才那位射手不服气地咕哝了一句说：“这一箭谁知道是不是碰巧射中的！”养由基听了，丝毫不动声色，叫人再去选定十片杨叶。只见他连连张弓发射，箭箭都命中目标。人们随着他手臂的一举一落，连声叫好。

（9） 养由基射得性起，叫射手们把所有的箭都集中在自己面前，他一箭一箭地朝着任意看中的杨叶射去，一口气射了一百箭，百发百中，没有一箭落空，把周围的人都惊呆了。

（10） 养由基收起弓箭，向射手们告别。人们都用敬慕的眼光目送他远去。从此以后，养由基“百步穿杨”的威名很快就传遍了楚国。

鞭长莫及

编文　初　辛

绘画　徐　进

出处　《左传·宣公十五年》："虽鞭之长，不及马腹。"

释义　及：达到。原意是说鞭子虽长，但不应该打到马肚子上。后多作"鞭长莫及"，用以比喻力不能及。

（1） 春秋时代，争战连绵。诸侯国实力较强的有楚国和晋国，齐国是楚国的盟国，宋国是晋国的盟国。公元前594年（鲁宣公十五年），楚庄王派大臣申无畏出使齐国。

（2） 从楚到齐，中间要经过宋国。宋国的卫士检查了申无畏一行人，问他们有没有借路文书。申无畏回说没有。卫士们飞报宋文公，请示处理。

（3） 宋文公和大臣华元商量。华元认为，楚使经过宋国，而不带借路文书，分明是欺侮我们，主张杀掉申无畏。宋文公怕楚国前来攻打。华元认为侮辱与攻打一样，必须针锋相对地斗争，便下令将申无畏处死。

（4） 申无畏的从人飞速回国，报告庄王。楚庄王派申无畏去齐，正是要寻找机会伐宋，现在机会果然来了，他立刻调遣军队，命司马公子侧为大将，亲自攻打宋国。

（5） 楚军将宋都睢阳（今河南商丘）团团围住，造了大批和城墙一样高的楼车，四面攻城。华元已经作了准备，亲自指挥军民防守，同时派大夫乐婴齐奔晋告急，要求赶发援军。

（6） 乐婴齐到了晋都，将前后经过奏告晋景公。晋景公安慰他一番，让他在宾馆住下，然后召集大臣们商议对策。

（7） 晋景公主张发兵救宋。可是谋臣伯宗反对，他说：“以前，我国荀林父为统帅，指挥兵车六百辆和楚军作战，结果吃了败仗。目前，楚军正在势头上，前去救援，未必有功。”

（8） 晋景公说：“当今宋国和我们最亲，我们不救，宋国就完了。”伯宗道：“不可。古人有言：鞭子虽长，也不应该打到马肚子上（‘虽鞭之长，不及马腹’）。上天正准备赐天命予楚，不可与之争夺。虽然晋国很强大，但也不能违背天意。”

（9） 伯宗继续说：“谚语讲得好，要伸要屈应因时制宜；山川河泽容纳许多污垢；山林薮泽之中不免隐藏疾害；就是美玉也会藏着斑点；至于国君，有时亦难免要失面子。要含耻忍辱，这是天地间的规律，不可违抗。”

（10） 晋国君臣商量后，派了一个使臣解扬和乐婴齐一同到睢阳去，说是晋国就要派大军来，希望宋军坚守下去。

（11） 华元是决心抵抗到底的。楚、宋两军在睢阳相持了九个月，楚军始终没有得逞。然而睢阳城内伤亡很大，由于粮草将尽，饿死了不少人。楚庄王在城外叹着气说：“想不到宋国这样难打！”

（12） 最后，楚庄王在无可奈何的情况下，同意议和，双方订立了盟约。“鞭长莫及”这句成语就是从这个故事中来的，比喻力不能及或力不从心。

不寒而栗

编文　金文明
绘画　马方路

出处　《史记·酷吏列传》："是日皆报杀四百余人，其后郡中不寒而栗。"

释义　不寒冷而发抖，形容极其恐惧。

（1） 义纵（？—前117），西汉河东郡（治所在今山西夏县西北）人。他出生于平民家庭，年轻时任侠使气，不务正业，经常纠集一帮市井少年，在官道上打劫过往客商。当时官府曾经多方搜捕，始终没能把他抓到。

（2） 义纵有个姐姐，名叫义姁（xǔ 许），由于精通医术，被汉武帝的母亲王太后召进宫里去治病。太后病愈以后，对义姁十分宠幸。有一天，她问义姁说：“你有儿子或兄弟在做官的吗？”

（3） 义姁明白太后的意思，她带着惶恐不安的心情回答说：“臣妾有个弟弟义纵，平时游手好闲，品行不端。这样的人是不配做官的。”

（4） 太后认为义姁是故意谦让，于是就去对汉武帝说：“义姁有个弟弟，现在还是平民，你授给他一个职吧。”武帝就把义纵召到京城长安，让他当了中郎，后来又调任为上党郡（治所在今山西长子）的县令。

（5） 义纵以前做过强盗，胆子很大，对于官府的弊病也看得比较清楚，因而处事坚决果断，敢作敢为。在他任职期间，县里的公务和案件从来没有积压过；豪强劣绅犯了法，都受到严厉的惩办。他的政绩被推举为全郡第一。

（6） 不久，义纵被调任为长安县令。有一次，太后的外孙修成君的儿子违犯禁令，义纵毫不容情地把他逮捕归案。武帝知道以后，对义纵的秉公执法十分赞赏，立即提升他为河内郡（治所在今河南武陟西南）都尉。

（7） 义纵来到河内，听说当地有个姓穰的恶霸，平时倚仗权势，横行乡里，欺压百姓，无恶不作，就派兵把他全家逮捕，然后宣布罪状，满门抄斩。从此全郡民心安定，道不拾遗，义纵也因功升迁为南阳太守。

（8） 南阳有个豪强地主宁成，过去是有名的酷吏。他在乡间买了一千多顷土地，雇佣大批贫民为他耕作，积聚了几千万钱的家产。平日声势显赫，出门时骑马的随从有好几十人，威重超过了郡守。

（9） 可是，当义纵来到南阳的时候，这个一向目中无人的豪强地主竟然也惊慌起来。他亲自带着家人和宾客赶到城门口去夹道恭迎，义纵看着他这副谄媚的样子，理也不理就走了过去。

（10） 义纵一进郡府衙门，立即升堂理事，派人到民间去调查宁成和其他豪强大族的恶行。待等罪证到手，就下令逮捕有关人犯。宁成和另外两家豪强被迫逃亡他乡，他们的家财也被全部抄没。

（11） 公元前119年，地处北方边境的定襄郡（治所在今内蒙和林格尔西北）经常发生动乱，监狱里关押了大批犯人。汉武帝下诏任命义纵为定襄太守，派他前去稳定局势。

（12） 义纵一到定襄，发现许多犯人的家属和宾客私自出入监狱，贿买官吏，准备打通关节，使罪犯得到开释。于是他立即下令搜捕，把行贿舞弊者和有关的罪犯就地正法，一天之内竟杀了四百多人。

（13） 这场惊心动魄的屠杀，使得整个郡城充满了恐怖。从此定襄的士民才了解义纵是一个极其严酷的官吏，许多人提起他的名字就会不寒而栗。

（14） 后来，义纵又被调到长安担任右内史，主管京城西部地区的政务。公元前117年，汉武帝久病以后，准备去甘泉（宫名，在今陕西淳化甘泉山）游览，发现御道损坏严重，无人修治，不由气愤地说：“难道义纵以为我永远不再走这条路了吗？”

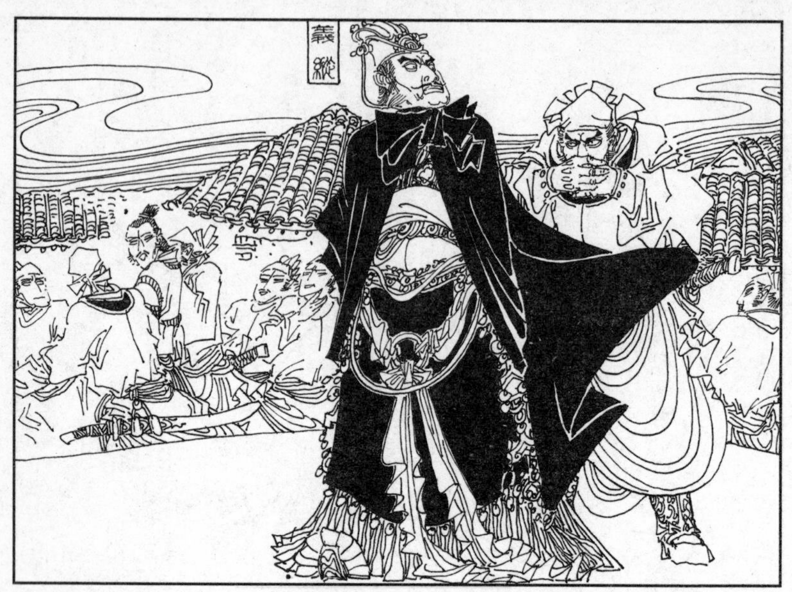

（15） 这年冬天，受汉武帝委托主持告缗工作（奖励告发商人瞒产逃税）的杨可，派使者外出执行任务。义纵由于不了解情况，竟把使者作为乱民加以逮捕。他没有想到，这件事情给自己招来了杀身之祸。

（16） 汉武帝得到报告，激起了对义纵的旧恨，认为他目无君上，故意对抗自己的诏令，就指派大臣杜式去审讯义纵，把他判处死刑。这个当年以严刑峻法使人不寒而栗的封建官吏，最后也断送在统治者的淫威之下。

成也萧何，败也萧何

编文　仓阳卿
绘画　杜滋龄

出处　宋·洪迈《容斋续笔》：“信之为大将军，实萧何所荐；今其死也，又出其谋。故俚语有‘成也萧何，败也萧何’之语。”

释义　萧何：汉高祖刘邦的丞相。“成也萧何，败也萧何”，比喻事情的成败都由于同一个人。

（1）汉初功臣韩信，淮阴人，父母去世早，从小过着孤苦贫穷的生活。他对读书、练武很有兴趣，并且肯下苦功。淮阴城里一班轻薄少年，常常取笑、欺负他。韩信知道自己孤单无援，也就不和他们计较。

（2）一次，有个屠夫的儿子对韩信说："你有胆量，就拿剑来刺我；否则，就从我裤裆底下钻过去。"一边说，一边叉开双腿。韩信朝他看了看，趴下身来，钻了过去。从此，人家给韩信起了个绰号，叫做"胯夫"（钻裤裆的人）。

（3） 楚军经过淮阴时，韩信入伍当了名小兵。后来，项羽让他做个“执戟郎中”（拿长戟的卫士）。这个差使，比一般小兵强不了多少。韩信几次向项羽献计，都被搁置不理，心里很难受，决定离开楚营。

（4） 韩信经过长途跋涉，来到南郑，加入了刘邦的汉军。他想，刘邦一再遭受挫折，这时处境很困难，像自己这样有实际本领的人，一定会受到重用。可是，他在汉营受到的待遇，比在楚营时好不了多少。

（5） 韩信觉得自己的才干得不到发挥，就常常与一些伙伴借酒浇愁，发发牢骚。这事传到汉王刘邦的耳中，以为他们要反叛，就下令把他们逮捕。接着，又把韩信等十四人定为死罪。

（6） 到了刽子手将要行刑时，韩信冲着监斩官夏侯婴大声喝道：“汉王不要打天下了吗？为何要斩壮士！”夏侯婴感到惊奇，亲自进行盘问。谈话之间，觉得韩信言吐不凡，就报告了汉王，免了韩信的罪，并让他做治粟都尉。

（7） 治粟都尉虽只是个管军粮的小官，韩信却因此有机会见到了丞相萧何。萧何跟他谈了几次，发现他是难得的将才。这时汉军正缺少能统率三军的大将。萧何就把韩信推荐给汉王。

（8） 当萧何介绍到韩信的出身时，汉王不禁双眉紧锁，摇头说：“钻裤裆的人还能做将军吗？”但在萧何的一再劝说下，汉王只好敷衍道：“那就过几个月再提拔吧！”

（9） 萧何无可奈何，只得用汉王的话去安慰韩信。韩信琢磨了一下，知道汉王不能重用他，就决定走。他故意当着众人的面，吩咐手下人："替我准备好马匹、行李和干粮，明天五更我要出远门。"

（10） 次日，天蒙蒙亮，韩信骑上马，出东门而去。正如韩信所预料的那样，他一走，手下人马上去报告了萧丞相，他们知道萧丞相是很看重韩信的。

（11） 果然，萧何急得什么似的，立即吩咐备马。他也来不及再去报告汉王，就带了几个随从，策马加鞭，去追赶韩信。一路打听一路追赶，忍饥受渴，马不停蹄。

（12） 在夜幕降临时，萧何追上了韩信。他埋怨韩信道：“韩将军你也太无情义了，怎么招呼也不打一声，就跑了，找得我好苦啊！”这时候，夏侯婴也赶到了。他们又费了一些口舌，韩信这才跟着他们一起回去了。

（13） 汉王原以为丞相也逃跑了，等到萧何回来，当面向他报告了，才知道是追韩信去了。萧何又一次向汉王表示，要打天下，必须重用韩信。汉王一向信任萧何，见他言辞坚决，就答应拜韩信为大将。

（14） 汉王选择了一个好日子，登上拜将台，郑重其事地拜韩信为大将。从此，韩信指挥三军，南征北战，驰骋疆场，为刘邦完成统一大业，立下了累累功勋。

（15） 有一次，韩信居功自傲，要刘邦封他为假（代理）齐王。刘邦考虑了当时情况，就顺水推舟，干脆封他为齐王。这事也引起了刘邦的警惕。在项羽兵败自刎后，刘邦亲自到韩信营里，收了他的兵权，并改封他为楚王。

（16） 公元前202年，刘邦做了皇帝（后世称为汉高祖）。不久，发现韩信窝藏项羽的大将钟离昧。汉高祖很恼火，又把楚王韩信改封为权力更小的淮阴侯。

（17）后来，汉高祖亲率大将去讨伐代相陈豨（xī希）。韩信与陈豨曾有交往，因此，有人乘此机会向吕后告发说，韩信见陈豨事败，正在谋划造反。

（18）吕后听了，急得不得了，赶忙请萧何来商量对策，决定先放出风声说："代地已被平定，陈豨已被杀掉，皇上即将凯旋。"大臣们信以为真，纷纷赶到宫中贺喜。

（19） 韩信与陈豨素有交情，又没肯跟随刘邦征伐陈豨。这时不免心虚，所以称病不出。萧何见韩信不来，就亲自去“请”。韩信想，有萧丞相亲自陪自己进宫，不至于会有什么意外，于是，就放心地跟着萧何入宫拜见吕后。

（20） 可是韩信一进宫门，吕后就令武士把他擒住，斩于长乐钟室。后来，有人谈到韩信这些事情时，认为是“成也萧何，败也萧何”。意思说：当初，竭力推荐韩信做大将的是萧何；后来，设计杀韩信的也是萧何。

从善如流

编文　庄　威
绘画　郭　兵

出处　《左传·成公八年》："楚师之还也，晋侵沈，获沈子揖初，从知、范、韩也。君子曰：'从善如流，宜哉！'"

释义　从善：听从好的、正确的意见；如流：像流水一样，比喻迅速。"从善如流"，指乐意接受别人正确的意见。

（1） 春秋后期，楚国比较强大，不断兼并周围小国。公元前585年，楚军进攻郑国。郑国的军队哪里是楚军的对手，结果被打得大败。

（2） 郑国和晋国的关系很好，晋国也是强国，因此，晋景公就派大臣栾书带领大军，前去救援郑国。

（3） 晋军与楚军，在郑国境内相遇。楚军看到晋军来势凶猛，很难对敌，就退兵回国去了。

（4） 栾书很是恼火，便挥兵去攻打楚国的盟友蔡国。蔡国是个小国，当然不是晋军的对手。

（5） 蔡国派人向楚国求援。这时，楚国也不愿罢休了，马上派公子申、公子成两人，带领申县（今河南南阳北）、息县（今河南息县西南）的军队，前去救援。

（6） 楚军来了，晋国的大将赵同和赵括向栾书请战，栾书准备同意他们的请求。

（7） 部下知庄子、范文子、韩献子对栾书说：“不能打。楚军退了又来，一定很难对付。我们即使胜了，也不过打败楚国两县的军队，不足为荣；如果打败，那就耻辱极了。”

（8） 栾书听后，觉得很有道理，准备收兵回国。军中有些人不以为然，说：“元帅手下六军卿佐共十一人，只有三人不主张打，可见想打的人占多数。元帅为什么不按多数人的想法行事？”

（9） 栾书答道：“只有正确的意见，才能代表大多数。知庄子他们三位都是晋国的贤人，所提建议又很正确，他们才是真正能代表大多数的人。我采纳他们的意见，岂不很好！”于是，下令退兵，避免与楚军直接交锋。

（10） 过了两年，栾书趁楚方不备，出兵进攻蔡国、沈国，轻易地赢得了胜利。因为栾书能听从部下的正确意见，当时，人们就赞扬他说：“（栾书）从善如流，宜哉（做得恰当极了）！”

得陇望蜀

编文 李光羽
绘画 施大畏

出处 《后汉书·岑彭传》："人苦不知足，既平陇，复望蜀。"

释义 陇：古地名，今甘肃东部；蜀：古地名，相当于今四川中西部。"得陇望蜀"，既取得陇地，又想望着蜀地。比喻贪得无厌。

（1）东汉初年，有两股反对光武帝的地方势力：一是割据巴蜀的公孙述；一是称霸陇西（今甘肃东部）的隗嚣。公元32年，大将岑彭随光武帝亲征陇西，将隗嚣围在西城（今陕西安康西北）。

（2）公孙述为了救援隗嚣，增兵上邽（邽，音guī龟；今甘肃天水），牵制了汉军的大量兵力。

（3）光武帝刘秀见西城、上邽两城一时攻不下，便留了封诏书给岑彭，自己先回京城去了。

（4）岑彭接到诏书一看，上面写着："两城若下，便可将兵南击蜀虏。人苦不知足，既平陇，复望蜀。"意思是：如果攻下两城，便可将兵力南移，进攻巴蜀公孙述。人就是不知满足的，既平定了陇西，又希望得到西蜀。

（5） 岑彭观察了西城一带的地势，决定采用水淹。他叫士兵每人背上一个布袋，装上泥土，将山谷间的水流堵住，引往西城。但这时城内地下水也涌出，城墙内外压力平衡，反而不坍。

（6） 双方正在相持之际，去向公孙述讨救兵的隗嚣部将，带着大队蜀兵赶到。岑彭见敌兵众多，本军粮草已尽，便下令退兵，并撤回了包围上邽的汉军。

（7） 汉军撤退，隗嚣带领兵马尾追袭击。岑彭亲自断后，掩护汉军顺利东归，避免了损失。

（8） 后来，隗嚣的儿子隗纯归顺了光武帝。岑彭奉命领兵攻蜀。

（9）他首先拿下了荆门，接着攻破平曲。岑彭吩咐部下坚守阵营，自己率精兵从水路攻入四川，一路势如破竹，直逼巴蜀腹地。

（10）岑彭率军攻下武阳（今四川彭山东），又指挥精锐骑兵进袭成都。汉军攻势凌厉，蜀兵闻风溃散。

（11） 公孙述只当汉军尚在千里之外，听说岑彭离成都只有几十里了，不由大惊失色，以杖敲地说：“是何神也！”

（12） 公元36年，汉军占领蜀地，光武帝“得陇望蜀”的宿愿终于实现了。现在，“得陇望蜀”这句成语，往往含有贪得无厌的意思，用法与原来不同。

东山再起

编文　杨兆林
绘画　韩　硕

出处　《晋书·谢安传》记载：谢安曾经辞官隐居在会稽郡上虞县附近的东山，后又出山做了宰相。

释义　指隐退后再度任职。也比喻失败后，恢复力量再干。

（1）谢安（320—385），东晋政治家，字安石，陈郡阳夏（今河南太康）人。他在青年时代才识不凡，写得一手好行书，很有点名望。

（2）朝廷好几次请他出来做官，他觉得朝政昏暗，推辞不就。

（3） 谢安寓居在会稽郡（治所在今浙江绍兴）上虞县附近的东山。东山风景秀丽，他和王羲之等人经常在那儿游山玩水，饮酒赋诗。

（4） 扬州刺史庾冰知道谢安有声望，千方百计地要请他出来做官。谢安在不得已的情况下只好应召，但只做了一个多月的官，便告辞回乡。

（5） 回到东山，他妻子觉得丈夫的兄弟都很显贵，唯独他安于隐退，便劝道："你不应当这样啊！"谢安回道："目前政局多变，若热衷于仕途，恐不免祸患。"

（6） 后来，他的弟弟谢万被废黜。征西大将军桓温当政，请他担任司马之职，他才赴召。这时他已经四十多岁了。

（7）到了孝武帝时，谢安位至宰相。当时北方的前秦强盛，攻陷梁、益、樊、邓等地（今陕西南部、四川和湖北西北部）。

（8）他使弟弟谢石与侄儿谢玄为将，加强防御。公元383年，前秦大军南下，江东大震。

（9） 他力持镇静，从容指挥，使谢石、谢玄、刘牢之等拒敌，获得淝水之战的大胜。

（10） 谢安又出兵北伐，一度到达黄河以北。所以后人用“东山再起”这个典故，比喻再度任职、建功。

多谋善断

编文 吴添汗
绘画 徐正平
凌　涛

出处 《文选·陆机〈辩亡论上〉》："畴咨俊茂，好谋善断。"

释义 很有智谋，又善于判断。原作"好谋善断"。畴咨：访求。

（1） 孙权是三国时吴国的建立者。他足智多谋，又善于判断，而且很会用人。他的部下有不少能干的谋臣和将领，如张昭、周瑜、鲁肃、程普、吕蒙等。

（2） 汉献帝建安十三年（公元208年），曹操从北方挥兵南下。荆州牧刘表正在这时死去，他的儿子刘琮率众投降曹操。曹操兵力大盛，乘势直逼江南，威胁东吴。

（3） 当时刘备进驻夏口（今湖北武汉），派诸葛亮来见孙权，想联合孙权抗击曹操。

（4） 孙权手下的许多文臣武将看到曹操兵力强大，十分害怕，都劝孙权向曹操屈膝投降。孙权听到这些言论，深为失望。

（5） 素来得到孙权器重的大臣鲁肃，单独入见孙权说：“那些力主投降的人，是要断送主公的事业。他们投降曹操，仍能得个一官半职；主公降曹，又会落得怎样的结果呢？”

（6） 于是孙权立即召回带兵在外的大将周瑜，共商对策。周瑜也坚决反对投降，他和孙权、鲁肃的主张相同，赞成联合刘备对抗曹操。

（7） 周瑜还具体分析了双方形势，指出曹操冒险用兵，犯兵家四忌：一、后方不安定，二、北军不惯水战，三、粮草不足，四、军士远涉江湖，不服水土，多生疾病；而江东基础稳固，兵精粮足，定能一举战胜曹操。

（8） 主降群臣坚持已见，认为曹操得了荆州，东吴已无长江天险可守，八十万曹军顺流东下，势不可当，只有迎降才是上策。孙权听罢，深感不排除主降派的干扰，江东基业就要断送。

（9） 他当机立断，霍地拔出佩剑，嚓的一声，狠狠砍去案桌一角，声色俱厉地说：“从今以后，谁敢再说投降曹操的话，就同这张桌子一样！”

（10） 孙权决定出兵，群臣纷纷议论统帅人选，认为周瑜智谋出众，当然可能授以重任；但东吴还有一员最早跟随孙坚起兵、能征惯战的老将程普。究应由谁拜将挂印，大家一时还猜不透。

（11） 连日来，孙权也为此事日夜操心。他认为，周瑜是杰出的将才，又是抗曹态度最坚决的大臣，所以决定任命周瑜为吴军统帅。

（12） 数日后，孙权召集文武，当众将佩剑赐给周瑜，封他为大都督，老将程普为副都督，鲁肃为赞军校尉（参谋长），率领三万水军，与刘备会师，共同迎击曹操。

（13） 双方的军队在赤壁交战，孙、刘一方用计放火烧了曹军的战船，把曹操打得大败而回。

（14） 这一战大大削弱了曹操的力量，使孙权在江东一带站稳了脚跟，奠定了魏、蜀、吴三国鼎立的基础。

（15） 孙权当政时，吴国很是强盛。他死后，他的小儿子孙亮继位，不久被废，由孙权的另一个儿子孙休执政。以后，孙权时代一批忠诚能干的老臣都死了，加上内部不稳，末帝孙皓又腐败无能，吴国终于被晋所灭。

（16） 后来，西晋文学家陆机写了一篇《辩亡论》，用文学的形式总结了东吴政权成败的历史经验，热情地赞扬孙权“畴咨俊茂，好谋善断”，就是说孙权很会访求人才，听取各方面意见，自己又有智谋，善于判断。

尔虞我诈

编文　李光羽
绘画　贾德江

出处　《左传·宣公十五年》："我无尔诈，尔无我虞。"

释义　尔：你；虞：欺骗；诈：欺诈。"我无尔诈，尔无我虞"是互相守信、不欺骗对方的意思；"尔虞我诈"与此正相反，指钩心斗角，你欺我，我骗你。

（1） 春秋中期，楚庄王问鼎中原，称霸一时，仗恃着楚国的强大，不把近邻的小国放在眼里。公元前595年，楚庄王派使者到晋国去，特地吩咐他：“你从宋国经过，用不着通知他们，过去就是了。”

（2） 宋国国家虽弱小，人却很有骨气，大臣华元听说楚使这么无礼，便下令把他扣留起来。

（3） 华元向宋文公说：“经过我们国家而不通知我们，那是把宋当做属国看待，当属国等于亡国；倘若杀掉楚使，楚来攻伐我，也不过是亡国。干脆把楚使杀掉，以雪耻辱。”宋文公于是下令处死了楚使。

（4） 消息传到楚国，庄王大怒，拂袖而起，下令马上进攻宋国。他甚至急得鞋子都来不及穿，宝剑都没工夫挂了。

（5） 楚庄王恨不得一步踏平宋国，可是哪有这么容易！宋国军民在华元带领下，同仇敌忾，坚守不懈。楚国围攻了好几个月，还是攻不下来。

（6） 几个月过去了，被包围得水泄不通的宋国军民越来越艰难：吃光了粮食，等不到外援，人们甚至把骸骨拿来当柴烧，交换孩子当食物吃，但他们守城的决心却没有动摇。

（7） 楚军情况其实也不妙：由于长期围攻，士卒都很疲劳，粮食也将吃完。楚庄王正想撤退，有人建议，假装在城的四周造房子，分兵种田，以示楚军要长期围困，这样，宋国必会投降。

（8） 城里的宋国军民见楚军造房子，种庄稼，显然准备长期围困，有些人不由得惊慌起来。华元连忙鼓舞大家，宁愿战死饿死，也不能投降楚国。

（9） 但是华元也想，军民们已经饿得武器都拿不动了，楚军再这么围困下去，城是肯定守不住的。当天夜里，他带着一把匕首，独自一个人缒（zhuì坠）出城外。

（10） 华元摸进楚营，潜入统帅子反帐中，将他一把拖了起来，晃一晃匕首说："城里的人已经饿得不行了，我们宁愿死去，也决不屈膝投降，请你撤兵后退三十里，同我国订立和约。"

（11） 子反瞧了瞧华元手中雪亮的匕首，魂不附体地连连答应。华元当即要他共同立誓，誓言是：“我无尔诈，尔无我虞（意思是我不欺骗你，你也不欺骗我）。”子反无可奈何，只好答应。

（12） 后来子反把事情报告给楚庄王。庄王心里原来就想撤兵，便顺水推舟地答应了。后人把“我无尔诈，尔无我虞”概括成“尔虞我诈”，正好与原来的意思相反。

风吹草动

编文　杨兆林
绘画　刘斌昆

出处　《敦煌变文集·伍子胥变文》：“偷踪窃道，饮气吞声。风吹草动，即便藏形。”

释义　风稍一吹，草就摇晃。比喻一点点动静或轻微的动荡。变文：文体名，采取佛经故事、民间传说、历史故事写成的有讲有唱的文学形式。

（1） 春秋时代，楚国平王当政。他是个昏庸而又荒淫的国君，竟把自己的儿媳妇据为己有。大臣伍奢强谏，平王恼羞成怒，捕他入狱，还要他写信叫外地的两个儿子回来，打算一网打尽。

（2） 大儿子伍尚打算约弟弟伍员同赴郢都（今湖北荆州东北）。伍员（yún云），字子胥，是个有胆识的武将，战功赫赫，名闻诸侯。他估计此去凶多吉少，力劝哥哥不要上当。

（3） 伍尚不听劝告，到了郢都，果然和父亲一道被平王杀害。楚平王仍不甘心，派兵四处追捕伍员，并在要道关口画影图形，悬赏缉拿。伍员得到凶讯，立即乔装改扮，只身沿江东下，打算投奔吴国。

（4） 伍员形单影只，忧愤交加，加上缉捕的风声很紧，不得不昼伏夜行，一路上历尽千辛万苦，连续走了十多天，才近昭关（今安徽含山西北）。

（5） 昭关形势险要，有楚吴驻守。伍员偶然碰到父亲的朋友东皋公。东皋公很同情伍员的遭遇，邀请伍员到家，表示愿意设法帮他混出昭关。

（6） 伍员在庄上一连住了七天，东皋公只以酒食招待，不谈过关的事。伍员焦急异常，吃不下，睡不着，卧而复起，绕室而走，不觉东方发白。东皋公叩门而入，见伍员一夜间熬得鬓发皆白，不由大惊。伍员对镜一照，不禁痛哭失声。

（7） 伍员哭着道：“一事无成，双鬓已斑，天乎，天乎！”东皋公安慰他，说已经有了办法：“我有一好友皇甫讷，相貌和你相似，让他和你一样装扮，如在关口被捕，你就可乘机出关了。”

（8） 伍员觉得连累别人，于心不安。东皋公要他不必过虑，自有解救办法。第三天黎明，按计行事，皇甫讷假扮伍子胥，果然在关口被捕。正在纷扰之间，伍员乘机混出关去。

（9） 伍员急匆匆赶路，走了几千里，前面是一条大江，茫茫浩浩，却看不见一只船。他怕后面追兵赶来，十分着急，只得隐藏在芦苇丛中。

（10） 过了一会儿，伍员见远处有只渔船从下游溯水而上，急忙高声叫道：“渔父，渔父，快快渡我！”那渔翁听得有人呼唤，便拢船向伍员藏身处驶来。

（11） 伍员上了船，渔翁将篙一点，轻划双桨，飘飘而去。渔翁见伍员身材魁梧，相貌不凡，要求他告诉真实姓名。伍员照实说了，还谈到自家的惨剧。渔翁惊讶不已。

（12） 船到对岸，渔翁见伍员面有饥色，要他稍等一会，表示要回家去拿些食物来给伍员充饥。

（13） 伍员等了一会，不见渔翁回转，心中疑虑，怕渔翁纠集众人来捉拿他，便隐藏在芦苇深处。

（14） 一刻工夫，渔翁拿着麦饭、鱼羹回来，却不见伍员的踪影，便高声叫道：“芦中人，芦中人，放心出来吧！我不会对你怎么样的！”

（15） 伍员这才从芦苇中走出，饱吃一顿，然后解下佩剑说：“这剑是祖上所传，价值百金，送给你作为报答吧。”渔翁笑了笑：“听说楚王有令，捉得伍员的赐粟五万石，封上大夫，我都不贪图，还会接受你的剑吗？再说这剑我也用不着啊！”

（16） 伍员希望知道渔翁的姓名，渔翁生气地说：“我是同情你的不幸，并不希望得到你的报答，何必问我的姓名？万一日后相逢，你叫我渔丈人，我叫你芦中人好了。”

（17） 伍员走了几步，又回头对渔翁说：“如有追兵来此，请勿泄露！”渔翁仰天叹道：“我这样待你，你还见疑。如有追兵从别处渡江，我何以自明？请以一死来杜绝你的疑虑吧！”说罢，解缆开船，拨舵放桨，倒翻船底，沉溺江心。

（18） 伍员十分悲伤，仍怕追兵赶来，不得不踏上崎岖的山间小路，在杂树野草的掩护下继续逃亡。唐代有人把伍子胥故事写成《伍子胥变文》，用“偷踪窃道，饮气吞声。风吹草动，即便藏形（躲起来）”数语来形容他逃亡时的惨境。

负荆请罪

编文　李光羽
绘画　高　适

出处　《史记·廉颇蔺相如列传》：“相如曰：‘……今两虎共斗，其势不俱生。吾所以为此者，以先国家之急而后私仇也。’廉颇闻之，肉袒负荆，因宾客至蔺相如门谢罪……”

释义　负：背；荆：荆条，可以用来鞭打。“负荆请罪”，表示向人认错赔罪。

（1） 战国时，赵国的蔺相如胆略过人，能言善辩，曾经带着和氏璧出使秦国，最后完璧归赵，被赵王拜为上大夫。

（2） 秦王为了威逼赵王屈服，约请他到渑（miǎn免）池（今属河南）相会。赵王怕秦王加害，不想去。大将军廉颇与蔺相如认为，不去显得赵国既软弱又胆怯，还是去的好。赵王勉强同意了。

（3） 赵王和蔺相如等到了渑池。酒宴上，秦王故意讲自己听说赵王喜欢音乐，请赵王弹瑟（古代乐器）。赵王于是弹了一曲。

（4） 秦国的史官立即按照秦王预先吩咐过的，上前记下道：“某年某月某日，秦王与赵王会饮，令赵王鼓瑟。”蔺相如听了这话，顿时怒不可遏。

（5） 他抓起一个缶（fǒu否，瓦盆），走到秦王面前说："我王听说大王擅长秦乐，特命臣奉上此缶，请大王一击以相娱乐。"

（6） 秦王满面怒容，怎么也不肯击缶。蔺相如进逼说："我离大王不到五步，愿将自己头颈上的血溅到大王身上！"

（7） 秦王手下的人见此情景，都举刀拔剑上前。蔺相如毫无惧色，怒目相对，严厉呵斥。这些人竟被吓得倒退了下去。

（8） 秦王脸色晦暗，勉强在缶上击了一下。蔺相如立即叫赵国的史官记下：“某年某月某日，秦王为赵王击缶。”

（9） 秦国的大臣气得发昏，大叫："请赵国割让出十五个城邑作为向秦王的献礼！"蔺相如针锋相对地回答："请秦国将咸阳（秦的国都）作为向赵王的献礼！"这下，秦国的大臣再也没有什么可说的了。

（10） 由于蔺相如的机智英勇，渑池会上秦国始终没能占到半点便宜。事后，赵王以蔺相如维护赵国尊严有功，拜他为上卿（相当于相国），名位在廉颇之上。

（11）屡建战功的廉颇见蔺相如职位比自己还高，不服气地说：“我有攻城拔寨的大功，而蔺相如不过动动口舌而已；况且此人出身贫贱，我不能屈居在他之下。倘若给我遇见，我一定当面羞辱他。”

（12）廉颇这些话很快传到了蔺相如耳中。但他能识大体，顾大局，所以每逢上朝的日子，故意装作有病，以免廉颇与自己争位次。

（13） 有时蔺相如出门，远远望见廉颇，就吩咐车子调转方向，避开廉颇。

（14） 相府里的宾客很不满意，对蔺相如说："我们之所以离家来到府上做事，是敬慕您崇高的正义精神。如今廉颇口出狂言，即使庸人也不能忍受，何况您为相国的呢？再这样下去，我们要走了。"

（15）蔺相如笑笑，问宾客："你们看廉将军与秦王哪个厉害？"大家异口同声说："那当然秦王厉害。"

（16）蔺相如道："相如敢在秦廷上当众呵斥秦王，辱其大臣，又怎会偏偏怕廉将军呢？只是我想，强秦不敢侵赵，不过因为有我们两个人在。两虎相斗，必有一伤。我之所以避让他，是先国家之急而后私仇啊！"

（17）蔺相如"先国家之急而后私仇"那句话不胫而走，传到了廉颇那里。廉颇一想，是自己不对，连忙脱去衣服，叫人取荆条（可作鞭子用的树枝）来。

（18）廉颇通过宾客引见，负荆到相府请罪说："我是个鄙贱的人，不知您对我这么宽厚啊！"蔺相如赶紧扶他起来。从此赵国将相和睦，秦国更不敢来侵犯了。

公而忘私

编文　于玉生
绘画　范生福

出处　《汉书·贾谊传》："故化成俗定，则为人臣者主而忘身，国而忘家，公而忘私，利不苟就，害不苟去，唯义所在。"

释义　为了公事而忘了私事。现多用以形容全心全意为国家利益着想的崇高精神。

（1）《吕氏春秋》是秦始皇时候的相国吕不韦集合门客共同编著的一部书，为当时秦国统一天下、治理国家提供思想保障。在这部书的《去私》篇中，记载了两个人为了公事不讲私情的故事。

（2）第一个故事：春秋时代，晋国的国君晋平公，一天问大夫祁黄羊说：“南阳缺个县令，你看应该派谁去当？”祁黄羊答道：“解狐最合适。”

（3）晋平公惊奇地问道："解狐不是你的仇人吗？为什么要推荐他？"祁黄羊说："你问我什么人能胜任县令，并未问我谁是我的仇人呀！"晋平公说："好。"

（4）于是，晋平公就派解狐去任南阳县令。国人都称赞任命得对。

（5） 过了些日子，晋平公又问祁黄羊：“现在军中缺个武官，你看谁可以担当？”祁黄羊说：“祁午能够胜任。”

（6） 晋平公又奇怪起来，问道：“祁午不是你的儿子吗？”祁黄羊回答说：“你只问我谁可以胜任，并没有问我祁午是不是我的儿子呀！”晋平公说：“好。”

（7）于是，晋平公又派祁午去做武官。国人也都称赞任命得好。

（8）孔子听到这件事，非常称赞祁黄羊，认为他推荐人才拿才德做标准，外不避仇，内不避亲，称得上是公而忘私（按：古代论家指出，这个故事就是《左传》“祁奚请老”一事，《吕氏春秋》的记载可能有误）。

（9） 第二个故事：春秋战国时期，有个墨家学派（战国时期的重要学派，是儒家的反对派，创始人墨翟）的首领叫腹䵍（tūn吞），定居在秦国，他儿子犯了杀人罪，被抓了起来。

（10） 国君秦惠王对腹䵍说：“先生的年纪大了，又没有其他儿子。我已经下命令赦免了你的儿子，先生可得在这件事上听从寡人啊！”

（11） 腹䵍回答道：“墨家的法规说：‘杀人者偿命，伤人者判刑。’这样才能禁住杀人伤人。禁止杀伤人，是天下大事，陛下虽然开恩，不杀我儿子，我却不能不遵奉墨家的法规。”

（12） 由于腹䵍不愿接受秦惠王的恩赦，他的儿子被处死了。后来有人称赞说：每个人都疼爱自己的儿子，而腹䵍能不顾私情按法律办事将儿子杀掉，真可以说是大公无私了。

（13） 西汉著名的政治家、文学家贾谊，在向汉文帝上的一道奏章中，对“公而忘私”也有一段论述。

（14） 当时，没有大臣获罪受刑的做法。贾谊认为体罚大臣，不合古代“刑不上大夫”的规定，要求对有罪大臣待之以礼，不上刑罚，令其自裁。

（15） 他说，这样做了以后，大臣就能“国而忘家，公而忘私，利不苟就，害不苟去。”也就是做到为国忘家，为公忘私，见利不随便谋取，见害不苟且逃避，以节义上报君王礼遇之恩。

（16） 汉文帝采纳了贾谊的建议，废除了对大臣体罚的规定。贾谊提出的“公而忘私”，含义与《吕氏春秋》中讲的已有所不同。“公而忘私”作为成语来说，一般还是指大公无私的行为而言，含有褒义。

机不可失

编文　吴添汗
绘画　杨　杰

出处　《旧唐书·李靖传》：“兵贵神速，机不可失。”

释义　时机不可错过。

（1） 李靖是唐初著名军事家，曾帮助唐高祖李渊建立唐王朝。高祖武德四年（公元621年），他上书给李渊，献策平定割据长江中游地区称帝的萧铣。

（2） 李渊采纳了李靖的计策，任命他为行军总管，兼任大将李孝恭（高祖堂侄）的行军长史，随李孝恭率兵南下去平定萧铣。

（3） 这年八月，他们驻军夔州（治所在今重庆奉节）。萧铣以为秋汛江水上涨，三峡路险，唐军必然不敢轻进，因此丝毫不作防备。

（4） 九月，李孝恭、李靖等继续率兵前进，准备渡长江，下三峡，直捣萧铣的巢穴江陵（今湖北荆州）。但许多将领觉得水涨时渡江太危险，要求等水位下降后再进兵。

（5） 李靖反对他们的意见。他说：“兵贵神速，机不可失。”就是打仗时行动一定要快，遇到好的时机就决不让它失掉；只有出其不意，攻其不备，才能打胜仗。

（6） 李孝恭听从他的意见，进兵夷陵。萧铣派部将文士弘率精兵数万屯扎在清江，准备抵挡唐军。

（7） 李孝恭打算出击，李靖不赞成，说：“文士弘是萧铣手下的一员猛将，他的兵士也很勇敢，最近他们又刚失掉荆门，官兵们肚子里都憋着气，恐一时很难打败他们，不如暂时驻兵南岸，等敌军士气衰落时再出击。”

（8） 这意见未被采纳。李孝恭命李靖留守大营，自己带了部队出战。

（9） 敌人果然厉害，李孝恭被杀得大败，逃回南岸。敌兵乘机前进，大肆抢劫。

（10） 李靖看到敌兵把掳掠来的大包小包带在身上，每个人都背得重重的，队伍已乱成一片，就乘机出击，纵兵大破敌阵，缴获敌船四百多艘，杀死敌兵近万人，挽救了危局。

（11） 李孝恭再派李靖率领五千轻装人马为先锋，进兵到江陵。李靖打败了萧铣手下的几员大将，把萧铣包围在城里。

（12） 萧铣只好请降。唐军整队入城，号令森严。李靖不愧是个卓越的军事家，他那“兵贵神速，机不可失”的作战主导思想，至今仍被军事家们奉为至理名言。

见利忘义

编文　甘礼乐
绘画　贺友直

出处　《汉书·樊郦滕灌傅靳周传》："当孝文时，天下以郦寄为卖友。夫卖友者，谓见利而忘义也。若寄父为功臣而又执劫，虽摧吕禄，以安社稷，谊存君亲，可也。"

释义　见了私利，就忘了正义和义气。

（1）汉高祖刘邦去世后，吕后专权，分王诸吕，排斥异己，诛杀功臣。公元前180年，吕后病死，遗诏以侄子吕产为相国，另一侄子吕禄前已受命统领京都禁卫军，即可纠合审食其（yì jī益基）等吕党，全面篡夺刘汉政权。

（2）诸吕阴谋作乱，激起刘邦手下一批功臣宿将的愤慨，太尉（全国军政首脑）周勃与丞相陈平等发起将政权夺归刘氏的斗争，但当时周勃的兵权已失，不得入军中指挥，他便与陈平密议对策。

（3）两人商量下来，觉得吕禄与曲周侯郦商父子结谊最深，于是便将郦商软禁起来，迫令其子郦寄前去劝诱吕禄交出兵权。

（4）郦寄因老父被扣作人质，只好按着周勃、陈平的计策去对吕禄说：“你等封王，大臣诸侯各无异言，如今拥兵京都，为大家所疑。何不将兵权交还太尉，回封地享福，可免大臣诸侯合力生变。”

（5） 吕禄本是草包，一听好朋友说得不错，当下派人去告知吕产等人。诸吕中有的说可行，有的说不可行，一时犹豫不决。吕禄心烦，邀郦寄打猎散心，两人在郊外玩了半天，方才回来。

（6） 路过临光侯吕须（吕后之妹）府邸，吕禄顺便去看望姑母。吕须劈面痛骂吕禄饭桶，并将家中珠宝统统扔在地上说：“你要放弃兵权，吕氏一族必将死无葬身之地，我还守着这些东西有什么用？”

（7）吕禄被骂，惘然退出。郦寄见他神色有异，问明原委，不觉一惊，只好说是老人多虑，何致有此。吕禄似信非信，别了郦寄，自返府中。

（8）郦寄急忙驰报周勃、陈平，恰好前相国曹参的嗣子曹窋（zhú烛）也来报告：大将军灌婴联合齐王刘襄等刘氏军，回师京城欲诛诸吕。周勃、陈平决定立即动手，内外呼应。

（9）刘邦功臣纪信的儿子纪通，在朝廷掌管符节（出入关门或调动军队的凭证），也来相助周勃。周勃一身是胆，亲自出马去北军（护卫京城的禁军，驻扎城外），凭着纪通拿来的符节，通行无阻。

（10）周勃进入北军统兵，又恐吕禄不服，再命郦寄和典客（职掌外交及处理国内少数民族事务的官）刘揭同去劝诱吕禄说："太尉奉命掌管北军，足下急宜交出将印，速回封地享福，否则祸在眼前！"

（11）吕禄本来犹豫，更因郦寄是好友，总道他不致相欺，乃取出将印交与刘揭，匆匆离去。

（12）北军终于全归周勃指挥；曹窋又配合朱虚侯刘章控制了南军（皇宫禁军），杀吕产于未央宫。其余诸吕，也都被周勃派人捉住，一一斩首。

（13）吕氏势力全被消灭，周勃、陈平等迎立代王刘恒为帝，是为汉文帝。郦寄因在诛灭诸吕的斗争中也算出了力，袭父爵为曲周侯。但当时舆论却认为郦寄的行为是出卖朋友，对他颇有议论。

（14）《汉书》作者班固在记述以上史实时分析说：“夫卖友者，谓见利而忘义也。”他认为郦寄虽然毁了吕禄，但使国家得到安定，这跟“见利忘义”不同，不应否定。“见利忘义”是指见了私利就忘了正义，那是应当受到谴责的。

乐不思蜀

编文 钱兴风
绘画 徐恒瑜

出处 《三国志·蜀书·后主禅传》裴松之注引《汉晋春秋》："司马文王（司马昭）与禅宴，为之作故蜀技，旁人皆为之感怆，而禅喜笑自若……他日，王问禅曰：'颇思蜀否？'禅曰：'此间乐，不思蜀。'"

释义 比喻乐而忘返或乐而忘本。

（1） 三国末期，魏国大将邓艾奉命伐蜀，于公元263年攻下绵竹，大军直逼成都。蜀汉后主刘禅惊慌失措，派光禄大夫（皇帝顾问官）谯周等捧着玉玺前往邓艾营中，接洽投降。

（2） 魏军入城之日，举行受降仪式。后主反绑双手，载着棺材，率领百官来到邓艾军前。邓艾亲解其缚，焚去棺木，与他相见，并拜他为骠骑将军。

（3） 第二年，后主及其家属被带到魏都洛阳。当时魏帝曹奂是个傀儡，实权掌握在晋王司马昭手里。司马昭责备后主说："你荒淫无道，远贤臣，亲小人，不理政事，理应处死。"后主听了，吓得面如土色，不知如何是好。

（4） 文武大臣见此情景，一齐奏道："蜀主虽失国政，幸其早日归降，宜赦其罪。"于是司马昭封刘禅为安乐公，赐给住宅一座，绸缎万匹，僮婢百人；刘禅之子及随来的降臣郤（xì隙）正等，也都封爵。

（5） 次日，刘禅亲到司马昭府上拜谢。司马昭设宴款待，先用魏乐舞戏于前。随来的蜀官想到国亡家破，个个感伤，独独后主面有喜色。

（6） 接着，司马昭又令蜀人扮蜀乐于前。蜀官尽皆掉泪，而后主却嬉笑自若。

（7） 司马昭见后主如此，对亲信贾充说：“人之无情，乃至如此，虽使诸葛孔明在，亦不能辅之久全，何况姜维？”乃问后主：“颇思蜀否？”后主答道：“此间乐，不思蜀。”

（8） 过了一会，后主起身更衣，郤正跟到檐下说：“陛下如何答称不思蜀？倘他再问，可泣称‘先人坟墓，远在蜀地，无日不思’。如此，晋公必放陛下归蜀。”后主牢记此言，回到座位。

（9） 酒将微醉，司马昭又问后主：“颇思蜀否？”后主便照郤正的话回答。他想哭无泪，只能闭着眼睛，假装悲哀。

（10） 司马昭看出是假，突然问：“此语何似郤正所言？”后主惊道：“诚如尊命（含‘给你猜对了’之意）！”对于刘禅，《三国演义》有诗叹道：“追欢作乐笑颜开，不念危亡半点哀。快乐异乡忘故国，方知后主是庸才。”

礼贤下士

编文　吴添汗
绘画　陆　华

出处　《新唐书·李勉传》："其在朝廷，鲠亮廉介，为宗臣表。礼贤下士有终始，尝引李巡、张参在幕府，后二人卒，至宴饮，仍设虚位沃馈之。"

释义　礼：以敬对待；士：有能力和见识的人。"礼贤下士"，就是敬重贤人，有礼貌地对待地位低的人。旧时用来形容封建君主或贵官重视人才。

（1） 李勉是唐朝的宗室后代，当过开封尉、刺史、节度观察使，最后还做过两年宰相。他虽然权高位尊，但从不自高自大，待人非常诚恳、有礼貌。

（2） 年轻的时候，李勉的家境并不优裕。在客居梁、宋等地读书时，他曾和一名太学生同住一个旅舍。

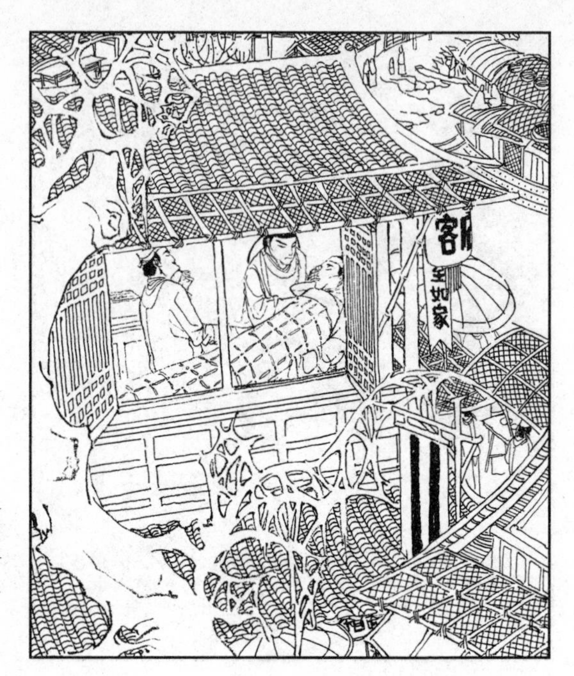

（3）一天，那个太学生突然病倒了，病情十分严重。李勉给他端水送饭、延医熬药，照料得像亲兄弟一样。

（4）太学生的病体不见好转，眼看快不行了。他趁房内无人，摸出几锭银子交给李勉说："没人知道我身边藏有这许多银两，我死后你用这笔钱将我安葬，余下的你就自己用吧！"说完，闭眼死去。

（5） 李勉遵嘱给亡友举哀，买了棺木、衣衾等物，把他安葬了。剩下的钱，他分文不动，放在棺下和亡友一起入土。

（6） 不久，太学生的遗属来找李勉。李勉便和他们一起去给亡友迁葬，把放在棺下的余银取出交给他们。遗属感动得不知说什么才好。

（7） 后来，李勉当了大官，他不但廉洁方正，而且十分爱惜人才。在任山南西道（治所在今陕西汉中）观察使（负责考察州县官吏政绩）时，他发现原先当过密县（今河南新密）县尉的王晬（zuì醉）勤恳能干，便提拔他代理南郑县（今陕西汉中）的县令。

（8） 可不久皇帝下诏要处死王晬，李勉问清情由，原来是遭权贵诬谄，便巧妙地说：“皇上决不会轻信谗言，错杀无辜！”他暂不拘捕王晬，并连夜上疏请求赦免王晬。

（9）唐肃宗接到奏章，明白了事情的真相，赦了王晬的死罪；但李勉却被指控执行圣旨不力，召回京师贬官处置。

（10）李勉进京向肃宗面陈王晬无罪，还说方今百废待举，要任用像王晬那样有能力的人。

（11） 肃宗为嘉奖他秉持正义，授他以太常少卿（掌宗庙礼仪）之职。并擢用王晬为龙门（今山西河津）县令。王晬上任后果真为官清正、办事能干，当时人们都称道李勉能识拔人才。

（12） 李勉任节度使时，听说李巡、张参两人很有才学，便请他们进幕府任判官，佐理公务。这两人都是名士，李勉待他们始终十分有礼，每有宴饮都请他们出席。

（13） 不久李巡和张参先后去世，李勉仍然十分怀念他们，宴请客人时总给他俩空着座位，摆上酒杯和筷子，就像他俩活着一样。即便在很欢乐的宴会上，李勉一瞥见这两个空座位，就神色凄恻。

（14） 对待兵士，李勉也爱护备至。每当派他们到边境屯戍时，总要亲自查看所带的资粮是否充足；春秋两季，还常去看望士卒家属。因此在他手下当兵的人，都愿意拼死出力。

（15） 李勉虽然做了几十年高官，但平时常把俸禄分送给亲友、下僚，自己不留什么积蓄。他一生廉洁、清雅，活到七十二岁才去世。

（16） 李勉的品格很受后世推崇，史书上称他“鲠亮廉介，为宗臣表。礼贤下士有始终……”，意思是他耿直诚信而廉洁守正，称得上是宗臣的表率；而且能够礼贤下士，始终有礼貌地对待地位比他低的人。

励精图治

编文　于玉生
绘画　郑家声

出处　《汉书·魏相传》：“宣帝始亲万机，厉精为治，练群臣，核名实。”

释义　意为振奋精神，力求把国家治理好。后通作“励精图治”。

（1）公元前74年，汉宣帝即位。大将军霍光凭着迎立之功，加封一万七千户。子侄、女婿、外孙均在朝中担任要职，一时朋党亲友充塞朝廷。

（2）霍光权势日重，政由己出。大臣上疏奏事，皆要事先禀告霍光，然后再奏天子。每次朝见，汉宣帝看到霍光，就拘谨地收起笑容，显得十分谦恭。

（3） 公元前71年，汉朝击败匈奴侵犯后，派长罗侯常惠出使乌孙国。常惠上奏说：“龟（qiū丘）兹国曾杀害本朝校尉赖丹，未伏罪，请便道袭击。”汉宣帝不许。霍光却擅令常惠见机行事，后常惠袭击龟兹，斩龟兹大臣姑翼。

（4） 霍光老婆霍显，为了使自己的小女儿成君纳入宫中，以巩固霍光权势，竟买通女医淳于衍毒死许皇后。霍光知道后不但不举发，还恃权为淳于衍解脱。

（5） 公元前68年，霍光死了，汉宣帝摆脱羁绊，开始亲自执政。他决心要改变霍光后期的弊政，励精图治，每五日亲听朝臣奏事一次。

（6） 按照旧制，臣下上封奏事，奏封要有正副两份，副的一份先由尚书拆看，认为不当就不再进呈皇帝。御史大夫（仅次于丞相的中央最高长官）魏相提议取消这一堵塞言路的规定，汉宣帝采纳了。

（7） 由于改革了上书奏事的旧制，杀害许皇后的阴谋被揭发出来。汉宣帝下令诛灭霍氏三族。

（8） 公元前66年，汉宣帝下令降低盐价。食盐是百姓生活的必需品，当时由政府专卖，价格比较贵。降低盐价减轻了百姓的负担。

（9）对派往地方上去的官吏，汉宣帝都要亲自召见，先听其言，后察其行。他经常告诫臣下执法要持平，下令不准使用严刑酷法，不准擅自加重民众徭役；对生活淫逸骄奢、越权违法的官吏严予查究。

（10）同时提倡俭约，劝民农桑，老百姓有带刀剑者，使其卖剑买牛、卖刀买犊；地方官吏有成绩者，给予嘉勉进爵；公卿有缺，也从地方官选拔。由于采取这些措施，使汉朝出现了国家富强、民安其业的中兴局面。

门庭若市

编文　李光羽
绘画　王亦秋

出处　《战国策·齐策一》："令初下，群臣进谏，门庭若市。"

释义　门庭：原指王宫的大门口和殿堂前，也可解释为大门和院子。"门庭若市"，大门前和院子里热闹得像集市一样。形容来的人很多。

（1） 战国时，齐国有个长得很漂亮的男子，名叫邹忌。一天他照着镜子端详，很想知道自己是不是可以同著名的美男子徐公相比，便问妻子：“你看我与徐公，谁长得漂亮？”

（2） 他妻子毫不犹豫地回答说：“当然是您，徐公哪里比得上您呢！”

（3） 邹忌不大相信，再去问妾（小老婆）：“我与徐公谁美？”妾怯生生地说：“徐公怎么有您美呢！”

（4） 第二天，邹忌的朋友来访，寒暄了一会，邹忌问他：“你看，我与徐公比，谁美？”朋友正有事情要请邹忌帮忙，笑笑说：“徐公不如您。”

（5） 邹忌听了妻妾朋友的赞颂，仍不自信。隔日正好徐公来访，邹忌便将他从头到脚地看了一遍，自以为不如徐公美。

（6） 徐公走后，邹忌照着镜子看了又看，越看越觉得自己不如徐公美；非但不如，简直差得远了。

（7）夜里他睡不着，翻来覆去地想，为什么别人都说徐公不如自己美？终于给他悟出了其中的道理：妻说我美，是偏袒我；妾说我美，是敬畏我；朋友说我美，是有求于我呀！

（8）邹忌由此想到，一国之主更应该不被各种赞美之词所蒙蔽。于是他去朝见齐威王，以这件事为例，要齐威王多多听取批评意见。

（9） 齐威王觉得邹忌的话很有道理，下令说：“今后无论官员百姓，凡能当面指斥我错误的，受上等赏赐；凡能书面批评我过失的，受中等赏赐；凡能议论我的不是而让我听到了的，受下等赏赐。”

（10） 齐威王的命令一发布，群臣纷纷进言上书，评论朝政，以致门庭若市（王宫大门口和殿堂前热闹得像街市一样）。

（11）随着朝政的改进，过了几个月，进谏的人虽然还有，但越来越少。一年以后，即使想要进谏，也没有什么可说的了。

（12）齐威王不断改正过失，励精图治，国势由此大振。燕、赵、韩、魏等国非常敬重齐国，都派使臣来朝见齐王。史家评论说：这是不用兵而取得的胜利。

鸟尽弓藏

编文 甘礼乐
绘画 杨 杰

出处 《史记·越王句践世家》：“蜚鸟尽，良弓藏；狡兔死，走狗烹。”

释义 鸟给打光之后，打鸟的弹弓就没有什么用处，该收藏起来了。比喻事成之后，功臣被废弃或遭杀害。句（gōu 勾）：通“勾”。“句践”：后通作“勾践”。蜚，同“飞”。

（1） 春秋末期，吴、越争霸，越国为吴国所败，吴王夫差迫使越王勾践屈服求和。

（2） 勾践返越，卧薪尝胆，刻苦图强。他任用文种、范蠡等人整顿国政，十年生聚，十年教训，终于使国家转弱为强。

（3） 吴王夫差，却被胜利冲昏头脑，连年荒于酒色，不理朝政，宠幸越国送来的美女西施，亲信奸臣伯嚭（pǐ匹），杀害忠良伍子胥等，弄得民怨沸腾，国事日非。

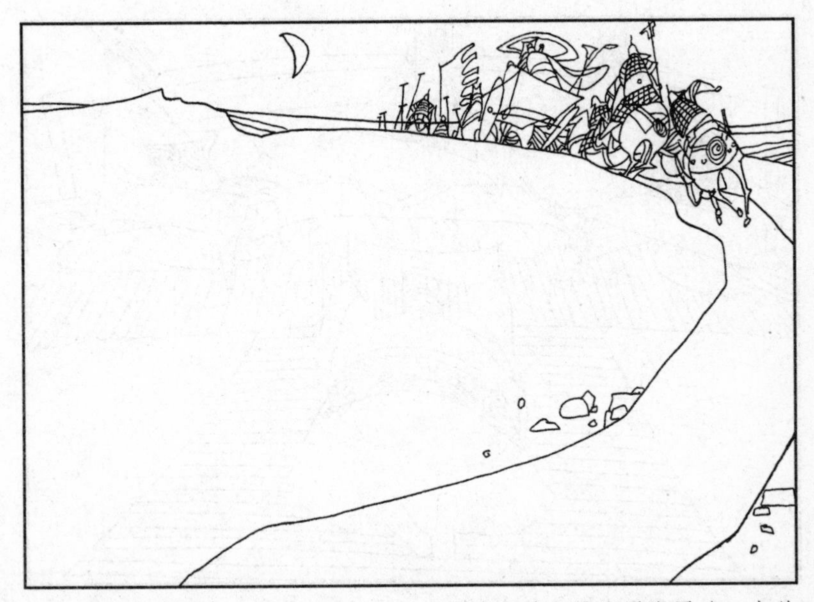

（4） 公元前473年，越王兴兵伐吴，报仇雪耻。吴军屡战屡败，夫差逃奔阳山（今江苏吴县西北），命太宰伯嚭留守都城姑苏（今江苏苏州）。

（5） 文种、范蠡挥军不断攻城，伯嚭抵挡不住，开城投降。越国兵马追上夫差，将他团团围住。

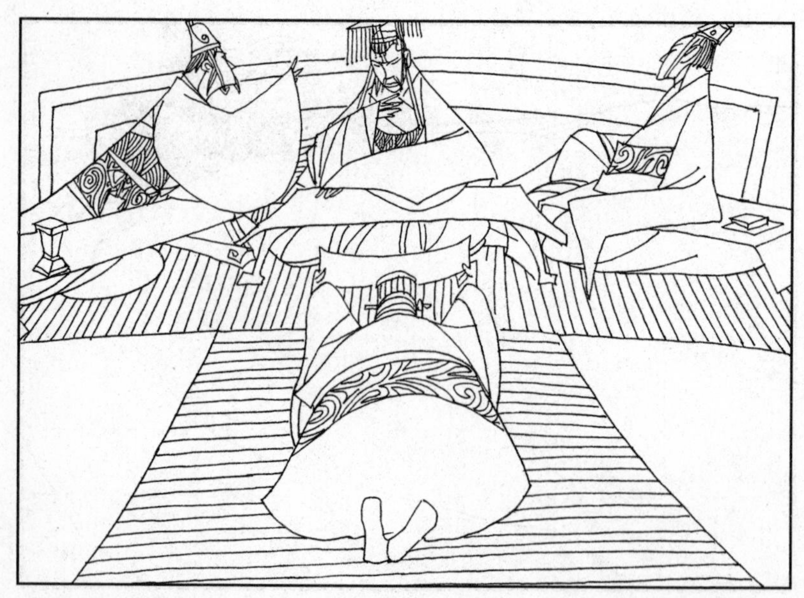

（6） 夫差命大夫公孙雄肉袒膝行，向勾践求和，愿做属国。文种、范蠡劝阻勾践道：“大王苦熬二十二年，就为今日报仇雪耻，怎能一旦放弃灭吴机会？”

（7） 吴使往返七次，文种、范蠡坚决不允议和。夫差无奈，写成一信系在箭上，射入范蠡军营。

（8） 军士拾信送呈范蠡、文种。两人一起拆阅，只见信上写着：“狡兔死，走狗烹；敌国灭，谋臣亡。大夫何不存吴以自为余地？”

（9） 这意思是说：野兔给杀尽了，猎犬留着无用，就要被主人煮来吃掉；敌国给灭亡了，谋臣就要被抛弃或遭杀戮。你们两位为什么不留着吴国，给自己作个退步呢？范蠡、文种阅毕，也写成一信，射向阳山。

（10） 信上列举夫差杀害忠臣、听信小人、侵犯邻国等罪状，并指出二十二年前越为吴所败，天以越赐吴，吴不受；如今是天以吴赐越，越王岂敢违背天命。夫差读信，含泪叹道：“寡人不杀勾践，乃有今日之祸！”

（11） 他让公孙雄再作最后一次求和尝试。越王勾践的回答是：“吾置王甬东，君百家。”就是要把夫差放逐到甬东岛（指今浙江定海）上，免除一死，供给百户封地的待遇，不再称王。

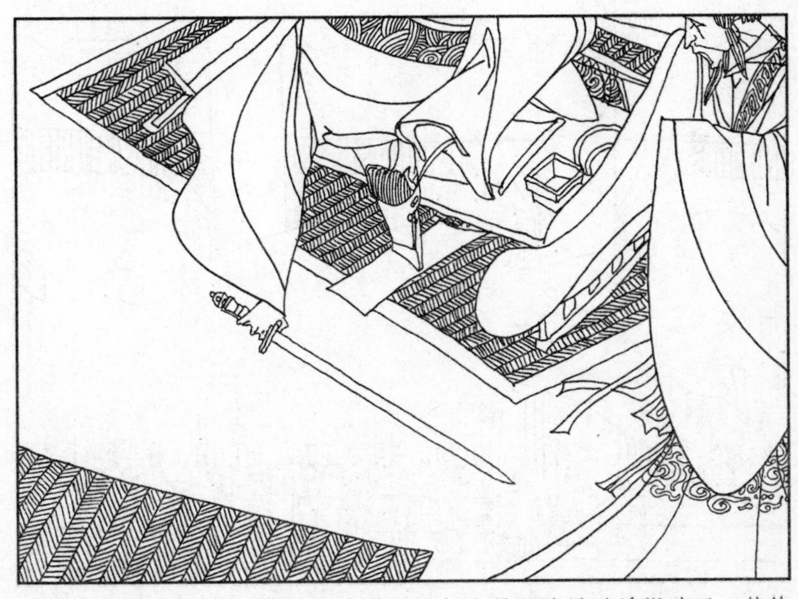

（12） 公孙雄向夫差复命。夫差眼见保全吴国的最后希望破灭，苦笑道：“我老了，何必再受这份罪！”说罢拔剑自刎。公孙雄也解下衣带，自缢而死。

（13） 勾践厚葬吴王。太宰伯嚭以前收受越国贿赂，帮越王说话，而今自以为有功，等着越王封赏。勾践却毫不留情，吩咐力士把这个叛卖吴国的奸贼，拉下去砍了。

（14） 吴国灭亡，勾践北渡江淮，会合齐、晋、宋、鲁等诸侯，一起朝贡周天子。周元王赐给勾践衮冕圭璧（天子、上公的礼服和诸侯朝聘时所执的玉器）、彤弓弧矢（赏功的弓箭），承认他为“东方之伯”（东方霸主）。

（15） 勾践就在吴宫文台之上召开庆功大会，欢宴群臣。歌舞宴饮直至深夜，越王忽然觉得眼前少了一人，细细查问，原来范蠡不见了。

（16） 他立即命令大家分头寻找，却到处不见范蠡的影踪。勾践想到范蠡握有兵权，怕他有变，忙叫文种去接管他的军队。

（17） 第二天，有人在太湖边找到了范蠡的外衣，衣兜里还有一封信，赶紧拿来呈报越王。越王读后，心里的一块大石头总算落了地。

（18） 原来范蠡在信上说，他帮助大王灭了吴国，这是应尽的本分。眼下有两个人留着对大王没有好处：一是西施，她迷惑过夫差，也可能迷惑大王；另一是他范蠡，手中权力太大，让人不放心。为此，他已为大王除此两人……

（19） 大家猜测，范蠡一定是先把西施杀了，然后再自尽的。勾践半天没言语，最后捧住范蠡的衣裳哭了一场，下令将会稽山一带划为范蠡的封邑，以资追念。

（20） 过了不久，忽然有人给文种送来一封信，上面写着：“蜚鸟尽，良弓藏；狡兔死，走狗烹；敌国灭，谋臣亡。越王为人，可与共患难，不可与共安乐。子今不去，祸必不免！”至此，文种才知道范蠡并没有死，而是隐居起来了。

（21） 他急忙传见送信人时，那人早走了。文种把信烧掉，心中挂念老友，可不怎么信他的这些话。

（22） 勾践不行灭吴之赏，无尺寸土地分封有功之人，与旧臣日见疏远。文种心念范蠡，时常称病不朝。有些不满文种的人暗向勾践进谗，说文种自以为功高赏薄，心怀怨望，故意装病不来朝见。

（23） 越王素知文种极有才能，当年曾献过伐吴七策，他采用其中三策，送美女惑乱吴王、买通伯嚭作为内线、收购吴国的谷物使他们粮库空虚，这就把吴国灭了。这样的人万一变了心，难以对付。他渐生疑忌，想除掉文种。

（24） 一天，勾践亲自去探望文种，在病榻前对他说：“你有七条好计，我只用三条就灭了吴国；其余四条，你给我用来对付已经死去的几代吴王，行不行？”说完，匆匆走了。

（25） 文种一时弄不明白越王的话是什么意思。当他发现勾践留下佩剑在座，取剑细看，鞘上有“属镂”二字，不由大惊失色。原来这就是当初吴王夫差逼伍子胥自杀的那把剑。

（26） 文种明白了勾践的用意，仰天长叹说：“鸟尽弓藏，兔死狗烹。我不听范大夫的话，真是愚蠢。走狗不走，只好让主人烹了！”说完，引剑自尽。而范蠡却经商致富，改名陶朱公，颐养天年，得以善终。

攀龙附凤

编文　甘礼乐
绘画　杜滋龄

出处　汉·扬雄《法言·渊骞》：“攀龙鳞，附凤翼，巽以扬之，勃勃乎其不可及也。”

《汉书·叙传》：“舞阳鼓刀，滕公厩驺，颍阴商贩，曲周庸夫。攀龙附凤，并乘天衢。”

释义　攀：双手抓住他物向上爬；附：依附；龙、凤：比喻有权势的人。“攀龙附凤”，比喻巴结或投靠有权势的人，从而猎取个人名利。舞阳：樊哙封舞阳侯；鼓：挥动；滕公：夏侯婴任滕令；厩（jiù救）：马棚；驺（zōu邹）：驾车马的人；颍阴：灌婴封颍阴侯；曲周：郦商封曲周侯。

（1） 汉高祖刘邦出身低微，本是家乡沛县（今属江苏）泗水亭亭长。他建立西汉王朝，有一批得力帮手，大多也是微贱出身，有的当过马夫，有的卖过狗肉，后来一一成了汉朝的开国功臣。

（2） 这些元勋，常被古代史家作为“攀龙附凤”的例子。司马迁在《史记·樊郦滕灌列传》中，就称汉初功臣樊哙、郦商、夏侯婴、灌婴是“附骥之尾，垂名汉廷”，就是说他们拉着了千里马的尾巴，攀上了刘邦，才得名垂千秋。

（3） 原来，樊哙本是刘邦的同乡，靠杀狗卖狗肉为生。他娶了刘邦的妻妹吕媭（xū须）为妻，和刘邦成了连襟。

（4） 刘邦还和沛县县吏萧何、曹参、夏侯婴等交好。夏侯婴也是沛县人，先是在县衙当一名马夫。他每次奉命为过往使者赶车回来时路过泗水亭，总要停下车来和刘邦闲话家常，不到日落不走。

（5） 后来夏侯婴补为县吏，和刘邦过往更密。有一次，刘邦和他闹着玩，不小心失手伤了他，有人便要状告刘邦，说他身为亭长动手伤人，理应罪加一等。

（6） 刘邦为自己辩白，夏侯婴也出面证明刘邦并未伤人，帮刘邦开脱。谁知不久官司有了反复，夏侯婴反以伪证罪入狱，还挨了数百板子。就这样，夏侯婴代刘邦坐了一年多牢，才了结这桩公案。

（7） 公元前209年，天下不堪暴秦苛政，爆发了陈胜、吴广农民大起义。沛县县令害怕起义军前来攻城，要樊哙去芒砀山（芒山、砀山合称，均在今河南永城东北）召回刘邦。当时刘邦因私自释放罪徒，躲在山中避祸，已收纳壮士百人。

（8） 樊哙请得刘邦回沛，不料县令忽生反悔，拒绝刘邦入城。幸得城内父老奋起杀了县令，开城迎入刘邦；萧何、曹参、夏侯婴等人又从中多方活动，促成众父老共同推戴刘邦为沛公，反秦自立。

（9） 刘邦起兵沛县，命萧何、曹参召集沛中子弟二三千人，由樊哙、夏侯婴为统将，出攻邻近县城，继又亲自率部与项梁起义军会合。

（10） 项梁在濮阳、定陶猛攻秦军，另命侄儿项羽和刘邦一起西进。两人在雍丘（今河南杞县）大败秦将李由，进围外黄（今河南民权西北），这时传来消息：项梁因大意轻敌，败死定陶。项羽、刘邦接获噩耗，只得引兵东返。

（11） 刘邦驻军砀郡（治所在今河南永城东北），这时有个名叫灌婴的丝绸商贩前来投奔，渐渐成了他的心腹。刘邦再度西进，灌婴以亲随身份从击秦军，过成阳、杠里，进军昌邑（今山东巨野东南），屡立战功。

（12） 昌邑守备严密，一时难下，刘邦改从高阳进兵，得到贫士郦食其（yì jī益基）的帮助，先据要地陈留。郦食其便把自已的弟弟郦商推荐给刘邦。郦商颇有智勇，手下已有数千人马，刘邦召为裨将，让他带领队伍随同西进，围攻开封。

（13） 在此前后，刘邦又得了张良、周勃等人才，实力雄厚，与项羽领导的起义军同为当时反秦主力。而樊哙、郦商、夏侯婴、灌婴等人，都为刘邦攻城略地，立下许多汗马功劳。

（14） 公元前206年，刘邦攻占秦都咸阳，推翻秦朝统治。紧接着，又与项羽展开长达五年的楚汉战争，终于在公元前202年战胜项羽，即皇帝位，建立汉朝，史称汉高祖。

（15） 高祖封赏功臣，樊哙、郦商、夏侯婴、灌婴四人，先后获舞阳侯、曲周侯、汝阴侯、颍阴侯的封爵。其中汝阴侯夏侯婴一度出任滕令，所以又叫滕公。

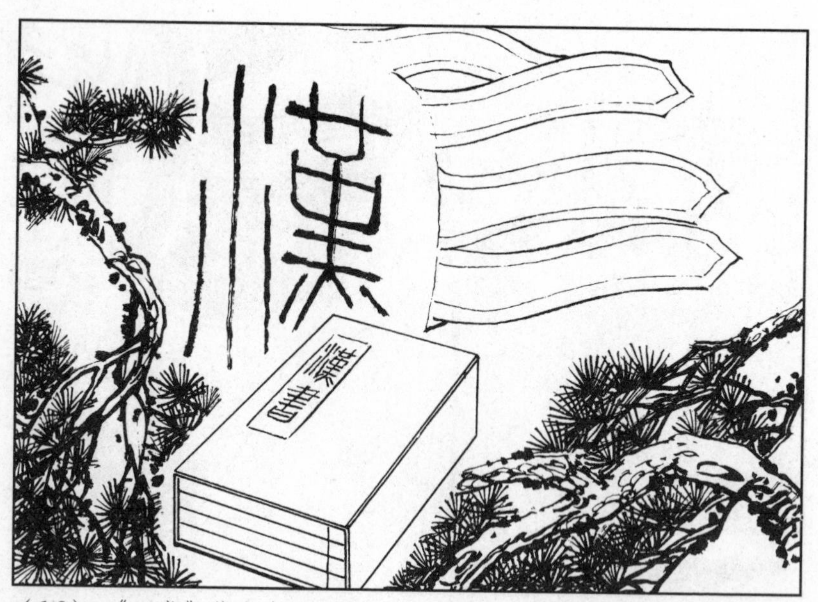

（16） 《汉书》作者在“叙传”中评述道：“舞阳鼓刀，滕公厩驺，颍阴商贩，曲周庸夫。攀龙附凤，并乘天衢。”意思是说，他们虽是狗屠、马夫、商贩等微贱出身，却攀附了贵人刘邦，得以在天街上并驾而行，获封侯之赏。

抛砖引玉

编文　甘礼乐
绘画　王亦秋

出处　宋·释道原《景德传灯录》卷十·赵州东院从谂禅师："大众晚参，师云：'今夜答话，有解问者出来。'时有一僧便出，礼拜。谂曰：'比来抛砖引玉，却引得个墼子。'"

　　宋·释普济《五灯会元》卷四·南泉愿禅师法嗣："比来抛砖引玉，却引得个墼子。"

释义　抛出砖去，引回玉来。常被用为以自己粗浅的、不成熟的意见或文字，引出别人的高见或佳作的谦辞。墼（jī击）子：砖坯。

（1） 佛教书籍《景德传灯录》，由宋代名僧道原所编，叙述禅宗师徒关于佛教教义的论证和故事。道原宣称：灯能照明黑暗，且能世代相传；把佛法传示世人，也和传灯一样，所以叫“传灯录”。“景德”是宋真宗年号。

（2） 《景德传灯录》中，有一段关于从谂禅师的记载。从谂是唐代高僧，曾主持赵郡观音院，聚徒说法，世号“赵州门风”，圆寂时寿一百二十。

（3） 相传从谂禅师对僧徒的参会坐禅，穷究禅理，要求极严。徒众参禅必需静坐敛心，专注一境，方能达到凝思息妄的禅定境界。

（4） 一日，众僧晚参，从谂禅师故意说：“今夜答话，有闻法解悟者出来。”此时徒众理应个个结跏正坐，息虑凝心，不动不摇，不委不倚。谁知恰恰有一小僧沉不住气，竟站了起来。

（5） 那小僧以解问者自居，走出礼拜。从谂禅师瞟了他一眼，缓声说道：“比来抛砖引玉，却引得个墼子（方才抛砖引玉，却引得一块生砖坯）。”

（6） 另据《谈证》一书记述：唐代文人赵嘏（gǔ古）颇有诗名，就连大诗人杜牧也喜欢读他的诗，并特别赞赏他那“长笛一声人倚楼”的诗句，人们因此又叫赵嘏为“赵倚楼”。

（7） 当时，有个名叫常建的，也是位诗人，一向仰慕赵嘏的诗才。他听说赵嘏来到吴地，料想定会去灵岩寺游览，便先赶到灵岩寺去。

（8） 为了想得到赵嘏的诗句，常建在寺前山墙上题诗两句，希望赵嘏看到后能补上两句，续成一首。

（9） 果然，赵嘏来到灵岩寺游览，看到墙上只有两句诗，不由诗兴勃发，顺手在后面接续两句，补成完整的四句一绝。

（10） 这就使常建达到了目的。常建的诗没有赵嘏写得好，而他又以较差的诗句引出了赵嘏的好诗句，当时有人就把常建的这种做法，称之为“抛砖引玉”。

（11） 其实，这个故事只是一种传说，并不实有其事。因为，常建是唐玄宗开元十五年（公元727年）的进士，而赵嘏则是唐武宗会昌二年（公元842年）的进士，两人所处时代相距百年以上，根本没有写诗求续的可能。

（12） 后人程登吉编著《幼学求源》一书时，虽然也引述了以上的故事，但指出常建、赵嘏并非同时代人，续诗之说全属荒谬不可信；只是由于这段故事比较出名，后来通常被认为是成语“抛砖引玉”的出处之一。

黔驴技穷

编文　李光羽
绘画　郜　劭

出处　唐·柳宗元《三戒·黔之驴》："黔无驴，有好事者船载以入。至则无可用，放之山下。虎见之，庞然大物也，以为神……他日，驴一鸣，虎大骇，远遁，以为且噬己也，甚恐。然往来视之，觉无异能者。益习其声，又近出前后……驴不胜怒，蹄之。虎因喜，计之曰：'技止此耳！'"

释义　黔（qián钳）：唐代指黔中道，辖境包括今湖南西部、重庆东南部及贵州大部地区。后用作贵州的代称。穷：尽，完。"黔驴技穷"，比喻有限的一点本领已经用完，再也没有什么能耐了。

（1） 古代黔中一带地方没有驴子。后来有个好奇者用船运来一头毛驴。

（2） 他不知怎么用法，便把它放牧在山下。

（3） 当地的老虎从来没有看到过驴子，突然看到这样一个庞然大物，以为是神兽，吓得只敢躲在树林子里悄悄偷看。

（4） 过了一会儿，老虎小心翼翼地走出树林，稍微走近驴前打量，但还是弄不明白这个庞然大物究竟是什么东西。

（5） 一天，驴子忽然长鸣一声，老虎以为驴子要吃它，吓得拼命逃向远处。

（6） 经过几天观察，老虎觉得驴子没有什么了不起，加上听惯了它的叫声，也没有什么可怕的，就渐渐到驴子前后走走，但是始终不敢扑上去。

（7） 为了进一步试探驴子的本领，老虎故意装出冲撞的样子。驴子被激怒了，扬起后蹄猛踢老虎。这一踢露出了驴子的底，原来它的本领不过如此，再也没有什么能耐了（“黔驴技穷”）。

（8） 老虎大喜，大吼一声，猛扑过去，一口咬断驴子的脖子，把驴肉饱餐一顿，然后扬长而去。

三顾茅庐

编文 甘礼乐
绘画 徐恒瑜

出处 《三国志·蜀书·诸葛亮传》：“先帝不以臣卑鄙，猥自枉屈，三顾臣于草庐之中。”

释义 顾：拜访；茅庐：草屋。“三顾茅庐”，就是三次到草屋中来访问，比喻诚心诚意去邀请或拜访。旧时文臣常用以表示对帝王的知遇之感。卑鄙：指出身卑微、见识鄙陋（浅薄）；猥自枉屈：指自降身份、屈尊俯就。

（1） 三国蜀汉丞相诸葛亮，在公元227年举兵伐魏，他为此向后主刘禅上了一道奏疏，就是著名的《前出师表》，表中有这样一段话：“先帝不以臣卑鄙，猥自枉屈，三顾臣于草庐之中……”

（2） 这是诸葛亮感念先帝刘备的话，追忆当初刘备不嫌他出身卑微，接连三次屈尊到他隐居的茅屋中来拜访的情景。成语“三顾茅庐”，源出于此。

（3） 小说《三国演义》写“三顾茅庐”有许多艺术加工；较有史料依据的故事，大致如下——汉献帝建安六年（公元201年），刘备攻打曹操失败，投奔荆州刘表，失意一时。

（4） 为了日后成就大业，他留心访求人才，特地向荆州名士司马徽请教，求他推荐。司马徽说：“此地有‘伏龙’、‘凤雏’，两人得一，可安天下。”

（5） 后来，刘备从谋士徐庶那儿得知，“伏龙”就是诸葛亮，“凤雏”就是庞统。徐庶还说：诸葛亮字孔明，隐居在襄阳城西二十里的隆中，结草庐而居，躬耕田亩，钻研史书，是一位杰出的人才。

（6） 刘备决定邀请诸葛亮出山，帮助他争夺天下。公元207年，他在部将关羽、张飞的陪同下，亲自到隆中去拜访诸葛亮。

（7） 第一次去，诸葛亮不在家，小僮说也许要过十天半月才能回来。刘备只得留下姓名，怅然而回。

（8） 归途中，迎面走来一位读书人。刘备心想，山野里过来这么一位高士，不必问准是诸葛孔明了，便下马相见。那人说，他是孔明的朋友，博陵（治所在今河北蠡县南）人崔州平，太尉崔烈的儿子。

（9） 刘备久闻崔州平才名，邀他叙话说：“方今天下大乱，汉室衰微。我求见孔明先生，就是想请他谈谈治国安邦的道理。”崔州平笑道：“天下大势，岂人力所能勉强。将军用心固然可嘉，只恐徒费心力，无济于事。”

（10） 刘备解释道：“我是尽力而为。先生能否同到敝处，随时赐教？”崔州平连忙推却：“我无意功名，唯愿老死山林。我看诸葛孔明也未必愿意下山。”说罢，长揖而去。刘备感慨不已，只得暂回新野（今属河南）。

（11） 第二次，刘备探得诸葛亮已经回家，再往隆中拜访。那天正飞着雪花，他们在山路上遇到两位士人，一老一少，正在观赏雪景。刘备估计两人中有一人是诸葛亮，便下马施礼。

（12） 彼此通了姓名，才知道两人都是孔明的朋友，年老的是颍川（治所在今河南禹州）人石广元，年少的是汝南（治所在今河南平舆西南）人孟公威，他们刚从孔明家里回来，说是邀他去踏雪寻梅的，哪知孔明心绪不佳，不想同去。

（13） 刘备对他们说：“久仰两位大名，难得相见，敢请两位同去诸葛先生庄上一谈。”石广元摇头说：“老朽是‘今日有酒今日醉’的村野废物，从不过问国家大事。请将军自便。”孟公威也拱拱手，走了。

（14） 关羽、张飞拥着刘备来到隆中，一直到了庄上，正碰见那名小僮在院子里扫雪。刘备上去问他，先生在家吗？小僮说，正在看书。刘备大喜，随小僮走向草堂。

（15） 堂上有位年轻的读书人，刘备过去行礼说：“上次来拜访，先生不在。今天冒雪而来……”那少年慌忙答礼：“将军莫非要见家兄？我是他兄弟诸葛均。”刘备很高兴：“原来是弟兄两位。今天令兄在家吗？”

（16） 诸葛均请刘备就座后说：“我们是弟兄三个，长兄诸葛瑾在江东作幕宾，孔明是二家兄，他刚才送走了两位朋友，说有要事出门，三五天内不一定回来。”刘备听了十分失望，半天说不出话来。

（17） 呆了一阵，他才想着跟诸葛均说了一番仰慕诸葛亮的话。诸葛均道：“待家兄回转，我告诉他回拜将军吧。”刘备连连摆手说：“不，不，不敢惊动令兄。过几天，我们再来拜访。”

（18） 刘备回去没几天，又要去访问诸葛亮。关羽、张飞都劝他不必再去，认为已经去过两次，对方要是懂道理，应该来回拜；而且遇到那几位诸葛先生的朋友，都是不顾国家大事的人，恐怕孔明也是如此。

（19） 刘备不同意这种看法。他说：“我听得元直（徐庶）讲，诸葛亮往往自比管仲、乐毅，这说明他有志作一番事业，只是没碰到齐桓公、燕昭王那样的明主罢了。可是我算什么呢？没有势力，没有地位，凭什么要他来帮助我？

（20） “我一而再、再而三地去拜访孔明先生，要是他能看在我这一片诚意上，肯跟我们在一起，那就是我的造化了。如果你们还不明白我的心思，那么，这一次我就独自去吧。”刘备这么一说，关羽、张飞只好再陪着他前去。

（21） 三人再次来到隆中，诸葛亮亲自出茅庐相迎。刘备让关、张等在外面，自己跟着他进入草堂。诸葛亮很抱歉地说：“蒙将军不弃，屡次下顾，真叫我过意不去。我年幼学浅，真是惭愧得很。”

（22） 刘备四顾无人，就坦率地说：“汉室倾颓，百姓遭难。我自不量力，想为天下伸张大义，只恨自己智术浅短，至今毫无成就，可又不甘从此罢休。因此，特来拜见先生，请指点我应该怎么办。”

（23） 诸葛亮见刘备这么实心实意地把心事全说了出来，正像从前燕昭王见了乐毅把心事全说出来一样。他大受感动，也就把自己的心里话以及对时局的看法，毫无保留地告诉刘备。

（24） 他说："自从董卓作乱以来，天下群雄并起。曹操比起袁绍，虽然名望小、人马少，可他居然兼并了袁绍，转弱为强。这不但依靠时机，也在于人谋。现在曹操已有雄兵百万，挟持天子号令诸侯，实在难以和他争锋。

（25） “孙权据有江东，已历三世，地势险要，民众归附，有才能的人愿意替他出力，根基已经巩固。现在只能跟他交好，争取他作为外援，可不能轻易动摇他。

（26） “再说这荆州地区，北据汉沔，利尽南海，东连吴会，西通巴蜀，自古以来是用武之地，而这里的刘表不能守业。此乃上天留赐给将军的，不知将军是否有意？

（27）“还有益州，那也是个险要的地方，沃野千里，一向称为天府之国。可是那儿的刘璋昏庸无能，北边的张鲁又不知安抚百姓。当地有见识、有才能的人，都盼着能有一位英明的君主去带领他们。”

（28）分析了以上形势，诸葛亮向刘备提出占据荆、益两州，谋取西南各族统治者的支持，结好孙权，内修政治，伺机北向中原的建议。这就是历史上有名的“隆中对”，当时诸葛亮年仅二十七岁。

（29） 刘备听了大为叹服，愿以诸葛亮为师，请他出山相助，重兴汉室。诸葛亮深为刘备“三顾茅庐”的诚意所打动，答应了刘备的请求，离开隆中，一展自己的政治抱负。

（30） 从此，诸葛亮成为刘备的主要谋士。以后刘备根据诸葛亮的策略，联孙攻曹，取得赤壁之战的胜利，并占领荆、益，建立了蜀汉政权，形成与东吴、曹魏三国鼎立的局面。

失之东隅，收之桑榆

编文　金文明
绘画　陆　华

出处　《东观汉记·冯异传》："玺书劳异曰：'垂翅回溪，奋翼渑池，失之东隅，收之桑榆。'"

释义　东隅：日出的地方，也指早晨；桑榆：落日所照的地方，也指日暮。"失之东隅，收之桑榆"，比喻在这里失败了，却在那里取得了成功。也比喻先败后胜。

（1） 王莽末年，政治极其腐败，人民生活痛苦不堪，湖北、山东和黄河两岸先后爆发了绿林、赤眉、铜马等农民大起义。西汉宗室后裔刘縯（yǎn演）、刘秀兄弟也在南阳起兵参加绿林军，并且在战争中逐渐发展了自己的势力。

（2） 颍川郡（治所在今河南禹州）属官冯异，精通兵法，足智多谋。刘秀率军到达颍川时，特地派人召见了他。冯异认为刘秀胸怀大志，治军有方，将来一定会统一天下，就归附刘秀，很快得到了信任和重用。

（3） 公元23年，刘縯的族兄刘玄被起义军拥立为更始皇帝，定都宛城（今河南南阳）。刘縯受封为大司徒（最高行政长官），由于他屡建战功，威名卓著，深得将士们的拥戴，渐渐引起了更始的猜疑和嫉妒。

（4） 大司马（最高军政长官）朱鲔（wěi伟）和舞阴王李轶也十分妒忌刘縯的威名，竭力在更始面前加以中伤。更始在他们的怂恿下，终于派兵逮捕刘縯，把他杀害了。

（5） 刘秀在颍川得到哥哥被害的消息，心里非常悲痛，但在表面上却不敢有丝毫的流露。他还特地赶到宛城去向更始请罪，和大臣们见面时，饮食谈笑也跟平常一样。更始感到有点内疚，就把他派到洛阳去准备迁都的工作。

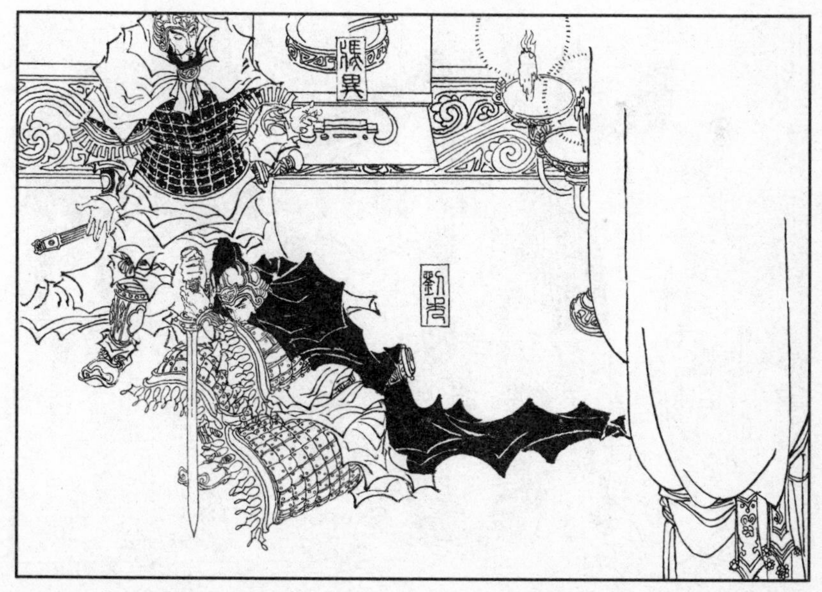

（6） 冯异在私下里经常去看望刘秀。他见刘秀独居时不喝酒，不吃肉，枕席上沾染着斑斑的泪痕，就一面劝他保重身体，一面要他派人去各地广结民心，积蓄自己的力量。

（7） 这一年冬天，有个名叫王郎的人在邯郸自立为天子，占据了黄河以北的广大地区，声势大盛。刘秀被更始派往河北，在蓟县（今北京西南）几乎被活捉，幸亏他事先得到消息，才带着冯异、邓禹等将领连夜出城向南逃走。

（8） 刘秀等人昼行夜宿，来到饶阳县无蒌亭。这时天寒地冻，朔风凛冽，大家走得筋疲力尽，只好到亭上落脚休息。冯异设法弄到了一锅豆粥，大家吃了才渐渐恢复体力，继续向南渡过滹沱河，脱离了险境。

（9）冯异为人非常谦虚，他经常打胜仗，但从来不居功自傲。每次战斗结束，别的将领都围坐在一起争夸功劳，只有冯异一个人悄悄地独坐树下。日子久了，将士们都对他十分钦佩，称他为“大树将军”。

（10）后来，刘秀的势力日益强大，终于被诸将拥立为天子，史称汉光武帝。公元27年，他任命冯异为征西大将军，会同邓禹、邓弘率军西进，准备向占据关中地区的赤眉军发动攻击。

（11） 当时，赤眉军约有二十万人，兵势强盛。冯异建议先派人去劝降，以动摇其军心，然后由邓禹、邓弘屯兵渑池（今属河南），自己率军向西，从两面对赤眉军进行夹击。邓禹、邓弘没有同意。

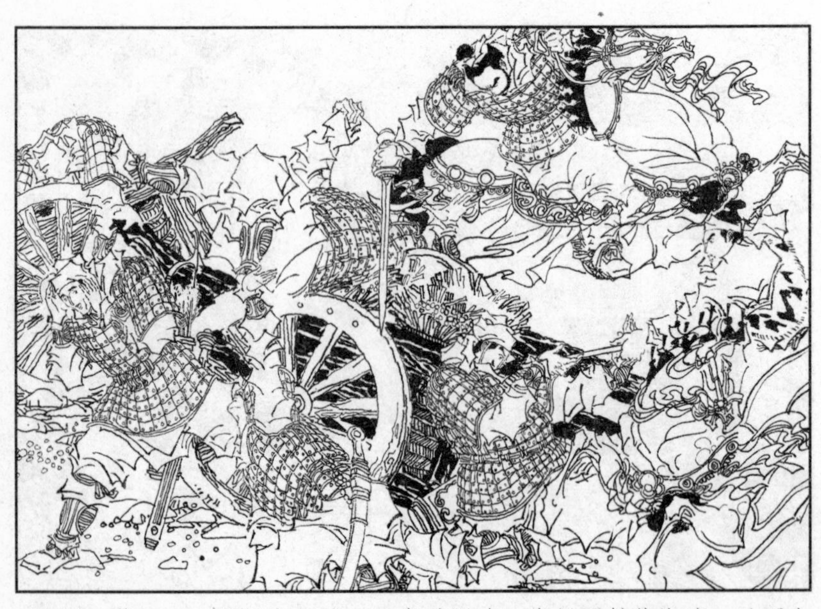

（12） 第二天，邓弘率部从正面发动猛攻。赤眉军佯装战败，丢下大批辎重。车辆上覆盖着一层豆子，下面装的都是泥土，邓弘的士兵纷纷上前争抢豆子，阵势大乱，被赤眉军回军一阵砍杀，伤亡惨重。

（13） 冯异和邓禹得到败报，马上赶来杀退赤眉军。这时冯异看见将士们已经非常疲劳，主张暂时退兵宿营，但邓禹坚持不听，继续挥军进攻，结果陷入赤眉军埋伏，被打得丢盔弃甲，死伤三千多人。

（14） 冯异奋力杀出重围，丢掉坐骑，只带着几名将士逃上回溪坂。这时邓禹已经逃往宜阳。冯异乘着月色回到军中，连夜收集残部，加固营垒，总结失败的教训，准备再同赤眉军约期会战。

（15） 到了决战的那天，冯异挑选大批身强力壮的勇士，让他们换上赤眉军的衣装，埋伏在道路两侧。战斗进行不久，冯异率军后撤，等赤眉军追近时，突然一声号令，伏兵四起，杀得赤眉军四散奔逃，有八万多人被迫投降。

（16） 刘秀得到捷报，立即写了一道诏书表示慰劳。诏书中说冯异虽然在回溪坂打了败仗，但后来终于在渑池大获全胜，可算是“失之东隅，收之桑榆”，应该论功行赏。这个成语从此就流传下来了。

四面楚歌

编文　李光羽
绘画　姚延林

出处　《史记·项羽本纪》："项王军壁垓下，兵少食尽，汉军及诸侯兵围之数重。夜闻汉军四面楚歌，项王乃大惊曰：'汉皆已得楚乎？是何楚人之多也！'"

释义　楚歌：楚地民歌。楚汉相争到最后，汉军包围楚军，唱起楚歌，使楚兵以为家乡都被汉军占领，以致军心动摇，四散溃逃。后来常用此比喻孤立无援，四面受敌。

（1） 秦末农民大起义后期，出现了楚汉相争的局面。公元前202年，刘邦率领汉军，将项羽的楚军重重包围在垓下（今安徽灵璧东南）。

（2） 楚军被围困了好多天，粮食渐渐吃光，项羽仗着自己勇敢善战，几次带领士兵企图突围，但都冲不出去。

（3） 一天夜里，包围在四周的汉军阵地上传来了阵阵歌声，项羽侧耳一听，不由得大吃一惊：原来汉军唱的尽是楚歌（楚地民歌）。

（4） 项羽号称西楚霸王，不仅楚地是他的大后方，而且楚军中最精锐的八千名江东子弟兵，也都是楚人。他听到这四面楚歌，不禁失声道："汉军难道已经占领了楚地？他们那里怎么会有那么多的楚人！"

（5） 楚军士兵听到四面楚歌，也都跟项羽想的一样，以为自己家乡尽叫汉军占领了，有的为乡音感动，引起共鸣，也哼开了楚歌；有的思念父老乡亲、妻子儿女，竟然哭出声来。人多声音大，楚营上空一片哭泣之声。

（6） 其实，刘邦并没尽得楚地，汉军中也没多少楚人。这四面楚歌，是汉军为了涣散楚军的军心而故意唱的——据说还是张良出的主意——将士们听到楚营里传出反响，越唱越起劲。

（7） 楚兵被汉军围困了好久，已经军无斗志，如今再加上四面楚歌，更是人心涣散。趁着黑夜，许多人溜出军营，开小差逃跑，有的就投降了汉军。

（8） 项羽听着四面楚歌，心烦意乱，回到帐内喝起了闷酒。他知道军心一溃，再也不可收拾，心中丢不下的只是自己所钟爱的虞姬和那匹善解人意的乌骓马。

(9) 项羽痛惜地把乌骓马看了又看，拍拍它的脖子，叫人牵开；可是乌骓马对主人无限留恋，怎么也不肯离去。

(10) 项羽想起了过去南征北战的赫赫声威，对比眼前众叛亲离的凄凉情景，不由悲愤地高歌：“力拔山兮气盖世！时不利兮骓不逝！骓不逝兮可奈何！虞兮虞兮奈若何！”

（11）虞姬和着霸王的节奏，一边舞剑一边唱歌。项羽看着听着，不禁潸然泪下；周围的人也哭泣不已，悲怆得头都抬不起来。

（12）虞姬为了不拖累霸王，唱罢歌便自杀了。项羽抹了抹眼泪，跳上乌骓马，带头向营外冲去。

（13） 楚军经不起四面楚歌的攻心战，项羽突围时跟随在后面的只有八百来人。到了乌江（今安徽和县东南）边上，仅剩下了二十余骑。

（14） 正在这前有乌江拦路、后有汉军追击的时刻，乌江亭长撑着小船来到，他劝项羽渡江，回到楚地可以继续称王。项羽痛心地回答：“当年江东子弟八千人随我起兵，今无一人生还，我有何面目重见江东父老！”

（15） 项羽将乌骓马赠给亭长，与身边仅剩下的二十余人，用刀、剑、匕首等短兵器同汉军进行殊死格斗。他一个人杀死了数百名汉军将士，自己也受了十多处伤。

（16） 最后，这位曾经叱咤风云、“力拔山兮气盖世”的西楚霸王，终于自刎在乌江。后来人们便用“四面楚歌”这句成语，比喻孤立无援、四面受敌的处境。

探囊取物

编文　毛履美
绘画　陆　华

出处　《新五代史·南唐世家》："中国用吾为相，取江南如探囊中物尔。"

释义　探囊：摸口袋。"探囊取物"，就是手伸进口袋里掏东西。比喻事情极容易办到。

（1） 五代时，潍州北海（今山东潍坊）将门之子韩熙载，因父亲被后唐明宗李嗣源所杀，逃亡江南，要去投奔吴国。他的好友李毂（gǔ谷），伴送他到淮河北岸的正阳（今属河南）。

（2） 两人临别畅饮，各抒胸中大志。韩熙载接过李毂为他斟满的一杯酒说：“江南如用我为相，我定能长驱直入，平定中原。”

（3） 李穀却认为当今战乱频仍，大丈夫当择贤主而事。他乘着酒兴高声说：“中国若用我为相，取江南如探囊中之物尔。”说罢哈哈大笑，将杯中酒一饮而尽。

（4） 韩熙载投吴不久，吴国就为南唐所灭。南唐国事多变，奸臣弄权，韩熙载怀才不遇，终日借酒消愁，与歌伎厮混在一起。

（5） 公元955年，后周皇帝周世宗柴荣发表文告，历数南唐国主李景招纳叛亡、私通契丹等罪名，封李穀为行营都部署，命他进兵寿州，攻取南唐。

（6） 李穀率部来到寿州，沿着昔日与韩熙载分手的旧地正阳一带察看地形，然后对左右说：“我军没有水战器具，若被敌兵砍断浮桥，我军就会腹背受敌。”于是下令退军。

（7） 亲临前线督战的周世宗明白李穀退军的意图，料定唐军必然会从后面追来，立即命大将李重进火速增援正阳，夹击唐军。

（8） 南唐将领刘彦贞等人，果以为李穀胆怯退军，连忙率领部下紧追不放。刚到正阳，就被周军两路夹击，杀得落花流水。

（9） 周军乘胜攻占滁州，南唐李景胆战心惊，只得派人求和，愿意每年纳贡。周世宗不予答理。

（10） 周军在李穀统领下威震南唐，所到之处，望风披靡。南唐光州、舒州、泰州等地刺史都吓破了胆，纷纷弃城逃亡；蕲州副将杀死刺史降周；东都副留守冯延鲁逃窜无门，只得削发为僧，仍被周兵擒获。

（11） 李景吓得如惊弓之鸟，连忙派人奉表称臣，愿割地六州以求罢兵。周世宗仍不许，直到南唐把江北地盘全部献上，才答应罢兵。从此南唐一蹶不振，国势日衰。

（12） 由于周世宗英明果断，知人善任，故而后周能人云集，李穀等能施展才华，随周师取江南（指南唐政权所辖地区）如囊中探物；而韩熙载却因碰上了南唐李景，自己又贪恋酒色，以致始终没能实现抱负。

天经地义

编文　张炳隅
绘画　卢　汶
　　　张新国

出处　《左传·昭公二十五年》："夫礼，天之经也，地之义也，民之行也。"

释义　经：常道；义：正理。"天经地义"，比喻理所当然，不能改变，不容怀疑。

（1） 公元前520年，周景王死了，按规矩应由嫡世子姬猛继承王位。但景王生前却有意立庶出（非正夫人所生）的长子姬朝为世子，这事曾与大夫宾孟商议过，只是未及实行就死了，于是引起了宫廷之争。

（2） 贵族单氏、刘氏合谋杀了宾孟，拥立姬猛即位，是为周悼王。

（3） 在朝的尹文公、甘平公、召庄公不服，决意另立王子朝。三家合兵作乱，上将南宫极率众攻击刘氏。

（4） 刘氏不敌，狼狈出奔；单氏领兵抵抗，保住悼王。

（5） 晋顷公得知周王室大乱，便派大夫籍谈、荀跞（lì 历），率兵迎接周悼王于王城（今河南洛阳）。

（6） 不多久，周悼王病死，单氏、刘氏又立悼王同母弟匄（gài 丐），称周敬王。

（7） 敬王既立，王子朝继续作乱，并依靠尹文公等在京地（今河南荥阳东南）自立为王，赶出敬王。敬王暂居翟泉。当时周人呼匄为东王，称子朝为西王，双方互相攻杀，连年内战，不能定局。

（8） 于是在公元前517年，晋顷公召集各诸侯国代表在黄父（今山西沁水西北）会盟，商议如何安定周王室的事。与会者有晋国的赵鞅、鲁国的叔诣、宋国的乐大心、卫国的北宫喜、郑国的游吉等人。

（9） 会上赵鞅向游吉请教什么叫“礼”。游吉说：“我国的子产大夫在世时曾说过，礼就是天之经，即天道的规范；礼也就是地之义，即大地的准则。它是万民行动的依据，天长地久，理所当然，不能改变，更不容怀疑。”

（10） 赵鞅谢教，表示愿终生牢记此言。在座者都肃然起敬。

（11） 接着，赵鞅提出各国应按礼行仪，约定时日，为周敬王输送兵卒、粮草，并帮助王室迁归王城成周。

（12） 在场的宋右师乐大心却表示异议，认为宋国原为殷商后裔，周王朝一直以宾礼相待，哪有客人给主人兵卒、粮食的道理？

（13） 随赵鞅赴会的晋国从臣士弥牟立即批驳了乐大心，提出许多事实说明宋国一向服从盟主的安排，从未背过盟，现在需要大家合力为周王室操心时，为何忽然生此异议？这是无礼的表现。

（14） 乐大心无言可对，只能接受牒命而退。此后晋大夫荀跞率领诸侯的军队帮助周敬王复位，平定了王子朝之乱。后人便把黄父会盟时提到“天经地义”的话当成语而流传至今。

同心同德

编文　吴添汗
绘画　陈国强

出处　《尚书·泰誓》：“受（纣）有亿兆夷人，离心离德；予有乱臣十人，同心同德。”

释义　指人心一致，行动统一。夷人：商王朝俘获东南夷充作奴隶，编入军队，称为“夷人”；乱臣：此处指治理国家的良臣。

（1）公元前11世纪，商朝末代君主纣王暴虐无道。当时勃兴于西部岐山（今陕西岐山东北）的周部族首领姬发（即周武王），兴兵伐纣。

（2）周武王亲自率领兵车三百乘，虎贲（勇士）三千人，甲士四万五千人，向东进军，渡过孟津，在黄河北岸驻扎。

（3） 为增强兵力，他还在孟津会合庸、蜀、羌、髳（苗）、微、卢、彭、濮八个西南部族。大军进至距商都朝歌（今河南淇县）七十里的牧野（今河南淇县西南），举行誓师大会，声讨商纣罪行。

（4） 周武王在会上宣读的誓词名叫《泰誓》，其中有这样几句话："受（纣）有亿兆夷人，离心离德；予有乱臣十人，同心同德。"意思是：商纣王虽有亿万奴隶，但他们思想不统一，信念不一致；我有治国能臣十人，思想统一，信念一致。

（5）《泰誓》还有一段勉励将士的话："乃一德一心，立定厥功，惟克永世。"就是要大家团结一心，为同一目标战斗，定能取得胜利，建立功勋，让天下永享太平。

（6）士兵们听了，斗志大振。周军与商军大战于商都郊外，是为历史上著名的"牧野之战"。

（7）当时商军主力远在东南战场，一时征调不过来。纣王便把大批奴隶和从东南夷捉来的俘虏武装起来，开往前线。

（8）在激烈的战斗中，商军奴隶兵都不愿为纣王卖命，纷纷在阵前掉转戈头，发动起义，配合周军攻入商都朝歌。

(9) 纣王兵败，独自登上鹿台，用大量玉璧围堆在身边，然后点火自焚。商朝灭亡。

(10) 殷商旧王朝与民众离心离德，终于败亡；姬周新王朝与民众同心同德，必然胜利。两相对照，说明国家民族内部团结，一心一德，非常重要。

完璧归赵

编文　李光羽
绘画　姜建忠

出处　《史记·廉颇蔺相如列传》："相如曰：'王必无人，臣愿奉璧往使。城入赵而璧留秦；城不入，臣请完璧归赵。'"

释义　璧：平圆形中间有孔的玉；赵：指战国时的赵国。"完璧归赵"，原意为把完整的璧玉送回赵国，现多比喻把物完好无损地归还本人。

（1） 战国时，秦昭王听说赵国得了稀世宝玉和氏之璧，便派人送信给赵王，表示愿以十五座城换取和氏璧。赵王怕得罪秦国，同大臣们商量，想找一个适当的人出使秦国。

（2） 宦者令（宫中太监的首领）缪贤推荐说，他有个舍人名叫蔺相如，胆大智高，作为使者看来是能胜任的。赵王正急得没办法，便命他去请蔺相如来。

（3） 赵王见了蔺相如，问道：“秦王以十五城换取和氏璧，你说可以给他吗？”蔺相如回答：“秦强而赵弱，不可不给。”其实，赵王也知道不给不行，于是又问：“秦得了璧，不给我城。怎么办？”

（4） 蔺相如回答道：“秦以城换璧而赵不给璧，理亏在赵；赵给了璧而秦不给城，理亏在秦。权衡得失，宁可答应秦国，让它去负不讲理的责任。”

（5） 赵王想想也对，问谁可为使者。蔺相如说：“如果实在派不出人，我愿奉璧出使。秦如给城，便留璧在秦；秦如不给城，臣请完璧归赵（我把完整的璧送回赵国）。”赵王点头同意。

（6） 蔺相如奉璧出使秦国，谒见秦王。秦王见和氏璧洁白无瑕，熠熠闪光，真是稀世珍宝，不由得大喜。

（7） 秦王欣赏之后，便给身边嫔妃传看；嫔妃传看之后，又送给左右近侍传看，压根儿不提交城的话。

（8） 蔺相如等了很久，见秦王根本没有给赵国十五城的意思，便心生一计，等和氏璧送回秦王案上时，他上前说：“这璧上有点小疵，请允许我指点给大王看。”秦王便命侍臣将璧传给蔺相如。

（9） 蔺相如拿到和氏璧，后退几步，靠殿柱一站，怒发冲冠地说："赵王斋戒五天，亲手将国书交给我，我这才奉璧来秦。而大王却傲慢无礼，坐而受璧，只顾君臣观赏，始终不提交城之事，可见以城换璧乃是骗人之辞。

（10） "所以我将璧收回。大王如要逼迫，我情愿将自己的头与璧一起在柱上撞个粉碎！"说着，蔺相如将璧高高举起，眼睛斜看着殿柱，似乎马上就要撞上去。

（11） 秦王怕璧真的撞碎，立即向蔺相如赔不是；又要大臣拿出地图，指给他看，是哪十五城割给赵国。

（12） 蔺相如看透了秦王这样的表态不过是装模作样而已，便说：“和氏璧是天下公认的宝物，秦王也必须斋戒五天，然后以最高的礼节接受它。”秦王无奈，只好答应。

（13） 蔺相如料定秦王不可能给赵国十五城，当天夜里，便叫手下人穿着破衣服，化装成老百姓，将和氏璧送回赵国，实现他“完璧归赵”的诺言。

（14） 秦昭王斋戒五天后，再请蔺相如上殿。蔺相如神色坦然地说：“我已令人将和氏璧送回赵国。只要秦给城，赵是不会不给璧的。我知欺大王有罪，甘愿下油锅烹死！”秦王见事已至此，只得苦笑作罢。

望梅止渴

编文　金文明

绘画　王重圭

出处　南朝·宋·刘义庆《世说新语·假谲》：“魏武行役失汲道，军皆渴，乃令曰：‘前有大梅林，饶子，甘酸可以解渴。’士卒闻之，口皆出水，乘此得及前源。”

释义　比喻从空想中得到安慰。

（1） 曹操是东汉末年著名的政治家和军事家，他不但在政治上很有才干，而且足智多谋，善于用兵打仗。他的军队纪律严明，作战勇敢，加上他指挥有方，因此经常取得胜利。

（2） 一个初夏的日子，曹操率领部队准备绕到敌后去。那天烈日当空，万里无云，天气非常炎热。战士们佩刀扛枪，行进在被太阳晒得干裂的泥路上。蜿蜒的队伍像长龙一样，前不见头，后不见尾，军容十分严整。

（3） 到了正午时分，天气越来越热，战士们的衣服都被汗水浸透了，许多人的脚步开始放慢下来。有几个身体较弱的士兵，由于流汗过多中了暑，跌倒在路上。

（4） 曹操骑在马上，看到战士们吃力地迈着脚步，心里非常焦急。他派人把向导找来，带到一边轻声问道：“这里附近有没有水泉？”

（5） 向导摇摇头说：“没有，水泉在北边的谷道里，我们是为了抄近路才从这里走的。现在将士们渴得厉害，是不是让大家绕过去喝些水再走？”曹操问：“需要多少时间？”向导说：“大约一个时辰。”

（6） 曹操沉思了一下说：“不行，这样会贻误军机。”他抬起头来向着几里路外的一带山丘望了一眼，问：“那里有没有水？”向导说：“不知道，要去找找看，可将士们已经走不动了。”曹操说：“你别声张，我自有办法。”

（7） 曹操策马奔到队伍前面，挺一挺身，指着前方大声说道：“将士们！转过前面的山丘，有一处大梅林，那里梅子很多，又甜又酸，可以解渴。大家振作精神，加快步伐，赶到那里吃梅子去！”

（8） 将士们一听说有梅子，顿时觉得牙齿酸溜溜的，嘴里涌上了口水。他们见曹操猛抽一鞭，策马奔去，立即精神倍增，抬动两脚紧紧跟上，好像已经消除了疲劳和口渴。

（9）队伍转过山丘，一看并没有什么梅林，将士们感到希望落了空，嘴里马上又火辣辣地干渴起来。曹操命令大家就地坐下休息，同时派向导带着几名精干的士卒到附近去找水。

（10）向导和士兵们踏着崎岖的小路登上山丘，转过一处山坳，忽然听到前面不远的地方传来了淙淙的流水声。

（11）“有水了！有水了！”一阵欢乐的呼喊声从山头上传到山下，疲惫的将士们立即群情振奋，欢呼雀跃起来。曹操心里好像落下了一块石头，马上命令各部派人取水。

（12）水取来了，将士们痛快地喝着，同时拿出干粮来吃了个饱。曹操等大家稍事休息后，又立即带着队伍出发。“望梅止渴”，就是从这个故事凝缩而来的。

未雨绸缪

编文　金文明
绘画　卢辅圣

出处　《诗经·豳风·鸱鸮》："迨天之未阴雨，彻彼桑土，绸缪牖户。"

释义　绸缪（móu 谋）：捆缚。"未雨绸缪"，意思是趁天还没有下雨，先捆扎好门窗。比喻事先作好准备。牖（yǒu 有）：窗。

（1） 商朝末年，商纣王荒淫无道，残酷地剥削和奴役老百姓，搞得民怨沸腾，属国离心。当时地处渭水流域的周部族却日益强盛，周族首领姬发逐渐联合各部族、小国，准备起兵推翻商朝的统治。

（2） 公元前1050年，姬发率领诸部族、小国联军，在牧野（今河南淇县西南）同商军进行决战。由于商军中的奴隶兵阵前倒戈，周军大获全胜，一举攻进朝歌。纣王逃上鹿台，自焚而死。

（3） 商朝灭亡后，姬发建立周王朝，做了天子，史称周武王。为了安抚商朝遗民，巩固自己的统治，他把纣王的儿子武庚封在朝歌做诸侯，同时又将自己的三个弟弟管叔、蔡叔、霍叔分封在朝歌四面，监视武庚。

（4） 武王论功行赏，把许多功臣分封到各地去建邦立国，留下弟弟周公和太公、召公等少数大臣在镐京（周都，今陕西西安西南）辅政。其中周公特别受到宠任，成为武王最得力的助手。

（5）转眼过了两年，武王忽然患了重病。由于天下统一不久，局势还没有完全稳定，特别是纣王的儿子武庚一直在窥测时机，准备纠集旧部，恢复商朝的统治。如果武王不幸死去，国家就可能发生变乱。因此，大臣们都非常焦急。

（6）一天，周公命人筑起三座土坛，亲自沐浴焚香，祭告周朝先王，表示愿意代替哥哥去死，请先王保佑武王恢复健康，使他能够安定天下，巩固周朝的统治。祭毕，周公把祝词封存起来放进石室，严令史官不得泄漏。

（7） 周公的祝告显然是迷信的举动，但对于他来说，却完全出于一片挚诚。事情也真凑巧，就在祝告以后的第二天，武王的病开始出现转机，而且一天天好起来了。周公和其他大臣都感到十分高兴。

（8） 可是，繁忙的政务使武王的身心经常处于极度疲劳之中。不久，他又旧病复发，不治身亡。这时太子姬诵年纪还很小，被大臣们拥立为成王。周公恐怕诸侯乘机作乱，决定替成王摄政监国，以稳定时局。

（9） 周公的摄政引起了远在东方的三叔的妒忌和不满。他们派人四出散布流言，说周公摄政是想篡夺成王的君位，以便取而代之。这些流言引起了成王的疑虑，周公感到有口难辩，就离开镐京，住到东都洛邑（今河南洛阳）去。

（10） 武庚知道了周公兄弟之间有矛盾，就暗中派人去联络三叔，进一步挑拨他们同周公的关系，同时积极准备寻找时机起兵作乱。

（11）周公来到洛邑以后，表面上不露声色，暗中却细心查察。经过了将近两年的时间，终于摸清了流言的来源，同时掌握了武庚勾结三叔、阴谋叛乱的罪证。他怀着十分焦急和愤慨的心情，写了一首《鸱鸮》诗，派人送给成王看。

（12）诗的大意是：鸱鸮啊鸱鸮，你夺走了我的孩子，不要再毁掉我的窝！趁着天未下雨，我要剥下桑根的皮，把门窗全都修好。我的手已发麻，嘴已磨损，羽毛也将要落尽。可是我的窝啊，还在风雨中飘摇！

（13） 这首诗反映了周公对国事的深切忧虑，寓意是十分明显的。周公希望成王读后能有所感悟，把自己召回镐京，以便及时采取措施，制止武庚和三叔的叛乱阴谋。可是年轻的成王并没有理解周公的苦心，依然无动于衷。

（14） 麦收季节来到了。镐京城外的田野里麦浪翻滚，满目金黄。农夫们看着这一片丰收景象，都在喜气洋洋地打扫场院，清理粮仓，准备开镰收割。

（15）有一天，早晨还是阳光灿烂，谁知到了午后突然乌云密布，雷电交加，怒吼的狂风把田里的庄稼全部吹倒，所有的大树也被连根拔起。这一场从天而降的灾难，把镐京城里的成王和大臣们吓呆了。

（16）大臣们纷纷对成王说：“陛下一定有了什么过错，触怒了先王，老天才降下这样的灾祸。”成王听了，慌得六神无主，马上命令史官打开存放前代史册的石室，发现了一个用金绳封缄起来的盒子。

（17） 这个盒子里存放的正是从前周公在武王病重时祭告先君的祝词。成王看了以后，感动得流下泪来，说："叔父这样勤劳国事，忠于先王，寡人实在对不起他，无怪先王要发怒了。"当即派使者去东都把周公请回镐京。

（18） 说也奇怪，就在使者的马车离开镐京向东进发的时候，天空开始下起雨来，大风反了一个方向，把倒伏在田里的庄稼全部吹得重新直立起来。这一年，京城周围受灾的地区仍然获得了大丰收。

（19） 不久，周公随同使者来到镐京。成王亲自率领文武百官到城外迎接。君臣之间的隔阂完全消除了，周公重新受命摄政，他把自己掌握的关于武庚和三叔相互勾结、阴谋叛乱的情况报告给成王，成王决定派周公出兵讨伐。

（20） 武庚和三叔得到消息，立即公开起兵拒敌。由于周公足智多谋，进军神速，很快就削平了叛乱。武庚、管叔、霍叔也被流放而死。周朝的统治终于得到了进一步的巩固和发展。

项庄舞剑，意在沛公

编文　赵吉南
绘画　颜梅华
　　　颜志强

出处　《史记·项羽本纪》："今者项庄拔剑舞，其意常在沛公也。"

释义　沛公：刘邦；项庄：项羽部下的武将。"项庄舞剑，意在沛公"，比喻说话或行动表面装作和平无事，实则想乘机害人。后也指言语、行动隐约针对某一个人。

（1）公元前206年，刘邦灭秦后，派兵驻守函谷关。不久项羽统率四十万大军攻入，进驻鸿门（今陕西临潼东）。刘邦手下有个名叫曹无伤的官吏，暗暗向项羽报告，说刘邦要在关中称王。

（2）项羽大怒，下令将士饱餐一顿，准备明日攻打刘邦。

（3） 当天夜里，项羽的叔父项伯，又把这个消息泄露给了刘邦。刘邦只有十万兵马，自知敌不过项羽，便趁机拉拢项伯，攀做儿女亲家。项伯很高兴，临走时说：“明天一早，你就亲自到鸿门去，向项羽谢罪，消除误会。”

（4） 第二天，刘邦由张良陪随，带了一百多骑兵来到鸿门，拜见项羽说：“我和将军同心协力攻打秦国，今天又在这里见到将军，真是不胜荣幸。但如今有小人从中挑拨，使将军对我产生了隔阂。”

（5） 项羽觉得刘邦很真诚，就明白告诉他：“那些话都是你手下曹无伤说给我听的，不然，我怎么会怀疑你呢？”项羽设宴招待刘邦，项伯、范增作陪。

（6） 范增是项羽的谋士，他设计要杀掉刘邦，已征得项羽的同意。席间，他多次向项羽暗示，要他趁此机会下手。项羽觉得刘邦已向自己表白清楚，不必再杀害他了。

（7） 范增再也忍耐不住，走出帐外，把项羽的堂弟项庄找来，说：“我们大王太心慈手软了。你进去给他们敬酒，然后请求舞剑，趁着舞剑的机会杀掉刘邦！”

（8） 项庄便按着剑进入帐内，敬酒完毕，说：“大王和沛公一起饮酒，军中没有什么娱乐，请允许我舞舞剑，为大家助兴。”

（9）项羽点头同意，项庄便在筵前舞起剑来。项伯一看项庄来意不善，也拔出剑来跟他对舞，处处掩护着刘邦。

（10）张良见情势不妙，连忙跑到军营门口去找刘邦的部将樊哙，说：“事情危急得很，现在项庄表面上是在舞剑，真正用意是要杀掉沛公。”

（11）樊哙说："我进去，跟他们拼命！"他不顾一切，把守门的卫士撞倒，冲进帐里。

（12）樊哙"闯帐"，项羽赐他酒肉。樊哙责备项羽不该听信小人之言，欲诛有功之人。项羽无话可答，只好让他坐下。刘邦利用上厕所的机会，逃出楚营。

悬梁刺股

编文　甘礼乐
绘画　韩　波

出处　《战国策·秦策一》：“（苏秦）读书欲睡，引锥自刺其股。”

《太平御览》卷三六三引《汉书》（按：班固《汉书》不载）：“孙敬字文宝，好学，晨夕不休。及至眠睡疲寝，以绳系头，悬屋梁。”

释义　梁：屋梁；股：大腿。“悬梁刺股”，就是把头发系在屋梁上，用锥子刺大腿。形容勤学苦读。

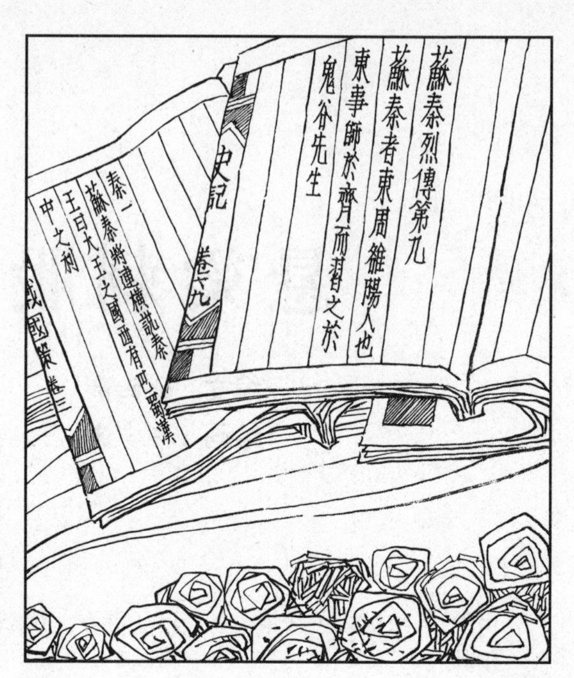

（1）提起古人勤学的故事，人们就会想到“悬梁刺股”。然而，大家也许对“刺股”的苏秦比较熟悉，对“悬梁”的孙敬却比较陌生。现在先从熟悉的说起——

（2）苏秦是战国时代洛阳人，在东方的齐国游学，以鬼谷为师。这鬼谷的真名实姓没人知道，他隐居在鬼谷（地名，传说不一，有讲在河南登封，有讲在陕西三原，有讲在湖北，有讲在湖南），所以叫“鬼谷子”。

（3） 鬼谷先生极有才学，苏秦跟他学“纵横之术”，就是分析形势，研究如何对付强大的秦国：“纵”是列国联合抗秦的策略，“横”是列国各自亲秦的策略。苏秦数年学成，辞别先生下山。

（4） 他先到秦国游说，劝秦惠文王实行“连横”政策，争取六国亲秦，然后各个击破，一一兼并。谁知秦惠文王不久前刚杀了主张变法的商鞅，对游说之士十分反感，根本听不进苏秦的话。

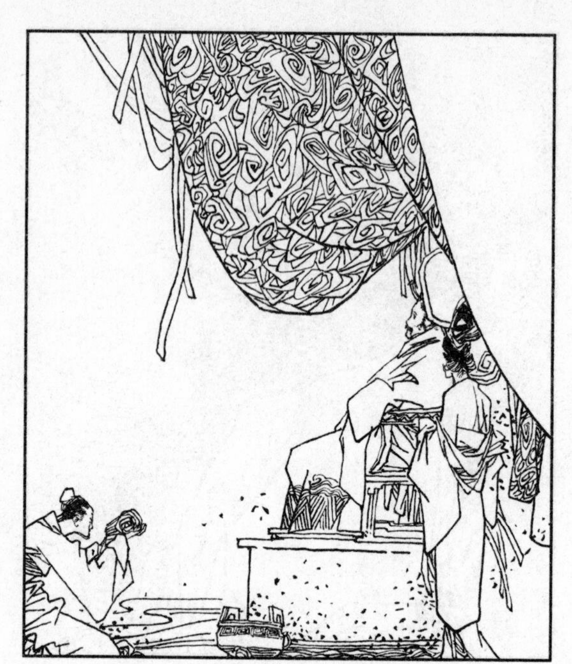

（5） 苏秦并不灰心，写了一部十余万字的书，详尽说明怎样才能兼并六国。书随后献给了秦惠文王，秦王虽然留下准备闲时阅览，但并无采纳之意。

（6） 这样，苏秦待在秦国馆驿有一年之久，连续上书达十次之多，还是全无下文，事业上一无成就。他盘缠耗尽，衣衫破烂，眼看日子越来越不好过，只得作回家的打算。

（7） 回到洛阳老家，家里人都讥笑他说："我们周国人，一向做工经商，将本求利；你却偏偏不务正业，想凭口舌来取富贵，怎能不穷困潦倒呢？"苏秦自觉惭愧，一言不答。

（8） 他想，这次回家，父母好一顿埋怨，妻子不下织机相见，嫂子不给做饭，这都怪自己没有本事，未能取得荣华富贵。于是暗暗咬牙发誓，非要争这口气不可。

（9）当夜，他打开数十个书箧，遍览群书，深叹学问在精不在多，便挑出自己最心爱的《太公阴符》兵书，埋头诵习。

（10）苏秦重新发愤读书，深入探究太公兵法，日夜不息。念书念累了，正想要歇息一下，眼前突然浮现不下织机相见的妻子、不给做饭的嫂子，他立刻清醒了，抖擞精神继续念下去。

（11）有时实在累得受不了，心里想念，可是眼皮粘到一块，怎么也睁不开。他就用锥子刺自己的大腿，驱除睡意。

（12）这一下子，精神又来了，接着又念下去。腿上刺出的鲜血，往往直淌到脚背上还不知道。他就这么苦苦地用功，费了一年多工夫。另外，他还仔细研究各国的地形、政治情况、军事实力，真正做到对天下大势了如指掌。

（13） 苏秦第二次出门游说，果然大获成功。他考虑到秦国既不能用他，便改取“合纵”的方针，周游燕、赵、齐、楚、韩、魏，劝说六国联合抗秦。六国国君都采纳了他的建议，决定订立合纵盟约。

（14） 公元前333年，六国国君在洹（huán环）水会盟，公推苏秦主持盟约，封苏秦为“纵约长”，兼佩六国相印，总辖六国臣民。苏秦终于成为战国时代纵横学派的代表人物，他当年刺股苦读，日后有所成就，乃是必然的结果。

（15） 另一则“悬梁”故事，主人公是西汉信都（今河北冀县）人孙敬。孙敬从小好学不倦，只因家境清贫，没有条件上学，在家自习直至成年。

（16） 那时的书籍，大多用竹简、木简编成，一部书要用上很多简，当然很贵。孙敬家贫，为了省钱，他想了个办法，用砍作柴禾的柳木做简，以代替书籍。

（17）他用这种柳木写经本，在家闭门诵读，日以继夜，足不出户。

（18）左邻右舍，时时听到他的琅琅书声，却难得见他一面。他们给他起个名儿，叫“闭户先生”；对他的勤苦好学，人人钦佩不已。

（19） 孙敬读书，天天读到更深夜静，还不肯歇手。为了避免瞌睡，他用绳子一头悬住屋梁，一头紧紧系在自己的发髻上。

（20） 每当昏昏欲睡、身不由己倒下时，绳子便牵住发髻，他仿佛给人狠狠扯了一把头发，痛得直跳起来。此时睡意顿消，赶紧坐正身子，打起精神继续攻读。

（21） 如此刻苦自学，十余年如一日，从不懈怠，孙敬的学识突飞猛进，最终成为一代大儒，留名后世。

（22） “孙敬悬梁”一事，原见《太平御览》卷三百六十三，编撰者宋代李昉等注称引自《汉书》，然而今本班固《汉书》无此记载。后人将“孙敬悬梁”与“苏秦刺股”并列，合为成语“悬梁刺股”，用来形容勤学苦读。

叶公好龙

编文 甘礼乐
绘画 徐海鸥

出处 汉·刘向《新序·杂事》："叶公子高好龙，钩以写龙，凿以写龙，屋室雕文以写龙。于是天龙闻而下之，窥头于牖，施尾于堂。叶公见之，弃而还走，失其魂魄，五色无主。是叶公非好龙也，好夫似龙而非龙者也。"

释义 叶（旧读 shè 涉）公：人名；好：爱好，喜欢。"叶公好龙"，比喻表面上爱好某事物，但并非真正的爱好，甚至实际上是畏惧它。钩、凿：钩剑、凿刀，古人佩带的武器；写龙：描绘龙的纹样；牖（yǒu 有）：窗。

（1） 春秋时楚国人沈诸梁，字子高，在叶地当县尹，自称“叶公”。他要别人也这么称呼他，别人知道他表字子高，便叫他“叶公子高”。

（2） 据说，这位叶公爱龙成癖，家里的梁、柱、门、窗上都雕着龙，墙上也画着龙，连日用器物上也都是龙纹。就这样，叶公爱好龙的名声，被人们传扬开了。

（3） 天上的真龙，听说人间有这么一位叶公，对它如此喜爱，很受感动，决定到人间去走一遭，对叶公表示谢意。

（4） 天龙下降到叶公家里，叶公正在午睡，这时风雨大作，雷声隆隆，惊醒了他的好梦，他赶快起来，关闭窗户。

（5） 冷不防，天龙正好从窗子外把头伸进来，叶公看见了，顿时吓得魂飞魄散，赶紧夺门逃走。

（6） 他没命地冲进堂屋，不料堂屋里拖着一条硕大无比的龙尾巴，拦住他的去路。他“哎呀”一声，面色如土，倒在地上人事不省。

（7） 天龙瞧着半死不活的叶公，不明白自己闯了什么祸，只好莫名其妙地走了。它哪里知道，叶公爱好的其实并不是真龙，而是那似龙非龙的假龙罢了！

（8） 这是一个具有讽刺意义的寓言，出自西汉文学家刘向所撰《新序》一书，也见于《申子》。叶公沈诸梁，历史上确有其人，但无“好龙”之说。《新序》采集舜禹以至汉代的史事分类编纂，所记事实与正史颇有出入。